Le prix Nobel

Oscar Lafuente

Le prix Nobel

Roman

LE LYS BLEU
ÉDITIONS

Au cinquante-quatrième étage de son immeuble, Monsieur Marchand s'attardait à regarder la magnifique vue qu'il avait à Paris. C'était si rare.

Paris était plongé constamment dans une épaisse brume de pollution au point que la tour Eiffel n'était presque plus visible, on la devinait.

Paris était polluée autant que les autres grandes métropoles, Pékin, Rio, Tokyo… et pourtant depuis vingt ans, que d'efforts. Les voitures (numéros pairs ou impairs) roulaient à tour de rôle, on conseillait d'utiliser les moyens de transport électriques, d'interdire les voitures au centre de la ville et pour cela, de nombreux parkings souterrains avaient été construits, mais rien n'y faisait.

Aujourd'hui, c'était le troisième jour sans voiture et on s'en rendait bien compte, Monsieur Marchand pouvait voir la tour Eiffel entièrement et il était toujours impressionné par sa structure. Elle avait été construite par Gustave Eiffel pour l'exposition universelle de 1889, et devait être démontée après l'exposition ; quel dommage ; elle est devenue le symbole de la capitale française. Il aimait la regarder.

À sa droite, il voyait la colline de Montmartre, où se dressait le Sacré-Cœur. Il aimait bien ce quartier, il y allait quelquefois incognito, déambuler dans les rues où les peintres exposaient. Quelle vue !

Il fallait en profiter car demain, les voitures circuleraient et la pollution reprendrait le dessus.

Il se retourna, car il fut interpellé par une voix qu'il connaissait bien.

— Monsieur, le courrier est arrivé.

Il se dirigea vers son bureau où l'attendait son majordome Henri avec une pile de dossiers.

Mathieu Marchand était le PDG de la société ECM (Expertise en Communication Marchand). Il réfléchit un moment et se demanda comment il en était arrivé là. Certains disaient qu'il avait bossé durement, d'autres qu'il avait eu de la chance, d'autres, que sans l'argent de sa femme, il ne serait rien.

Il venait d'une famille modeste, ses parents avaient une petite exploitation agricole dans le sud-ouest, exactement dans le Tarn, c'était dur, mais ils arrivaient à s'en sortir. Ils avaient deux enfants, deux garçons, qu'ils espéraient voir reprendre l'exploitation. Les parents faisaient le maximum pour bien les élever, ils étaient demi-pensionnaires au Lycée Jean Jaurès à Castres. Mais cette perspective de reprendre l'exploitation n'emballait pas Mathieu.

Titulaire du BEPC, pour le récompenser, son père, qui avait l'habitude de monter à Paris pour le salon de l'agriculture, lui proposa de l'accompagner.

Aller au Salon, voir encore des vaches... des animaux, il en voyait toute l'année, ça ne l'enchantait pas trop... mais monter à Paris, c'était quelque chose.

C'est ainsi qu'il prit le train. Sa mère leur avait préparé le panier, il fallait manger nature.

Lorsqu'ils arrivèrent devant le Salon, il remarqua plusieurs affiches publicitaires, dont l'une attira son attention, *Concours Lépine*, il demanda à son père ce que c'était.

— C'est le concours des nouvelles inventions, si tu veux, tu pourras y aller, ce n'est pas très loin et lui indiqua le lieu.

C'est ce qu'il fit, y passa toute la journée du samedi. Certaines créations n'étaient pas crédibles, un peu farfelues, d'autres, tout à fait réalisables (le souci était de trouver un partenaire pour financer la découverte).

Il avait eu le déclic. Le soir, à la brasserie, lorsque son père lui demanda ce qu'il avait vu, enthousiaste, presque passionné, il lui dit :

— Papa, tous ces jeunes inventeurs, il faut les aider, leur trouver le moyen de réaliser leur projet.

— Les découvertes crédibles sont primées et trouvent preneur.

— Pas toutes, certaines méritent mieux.

— Tu sais mon fils, c'est comme à l'école, il y a les bons élèves et les moins bons, il faut se battre pour être parmi les premiers.

— Là, Papa, ce n'est pas le cas, je crois qu'il y a du favoritisme et c'est bien dommage.

Quelques années plus tard, après sa réussite à l'école de commerce, il n'avait pas oublié cette idée. Avec deux collègues, il s'engagea dans cette voie qui n'avait pas été facile.

Il fallait trouver l'invention exceptionnelle et attirer des capitaux pour la mise en route. Ça nécessitait beaucoup de temps et ses deux associés se fatiguèrent et abandonnèrent. Il se retrouva seul et il végétait.

Mais un jour, l'avenir lui sourit. Michel et Jean, ses deux anciens partenaires, l'invitèrent à la soirée de fin d'année des grandes écoles.

Il accepta l'invitation, car en ce moment, il avait besoin de se changer les idées, les propositions se faisaient rares bien qu'il se démenait comme un beau diable.

Il savait qu'un jour ça tomberait, la bonne affaire, la super affaire, il y croyait fermement.

Le soir en question, il les retrouva devant leur ancienne école de commerce ; cette année, c'était elle qui organisait la soirée. En tant qu'anciens élèves, Michel et Jean avaient obtenu des entrées. Malgré l'étroitesse des locaux, il y avait bien un millier de personnes, et peut-être bien plus. Connaissant les lieux, ils n'eurent pas de problème pour se diriger et trouver une table.

La musique était à fond, le DJ se démenait, criait, et entraînait la foule dans ses élucubrations. La piste était bondée, ça sautait, les bras en l'air… une vraie folie.

Plus d'une heure du matin, la boisson aidant, tout le monde parlait davantage et fort. Ils avaient bu plus que d'habitude et les dialogues devenaient incohérents.

Le regard de Mathieu s'attarda sur une fille, proche, qui se déhanchait sur la piste. Jean voyait le regard insistant de Mathieu…

— Laisse tomber Mathieu, ce n'est pas une fille pour nous, c'est Claé De Vinchy, la fille de…

— Qui ! une parente à Léonard…

— Arrête de déconner, ça ne s'écrit pas pareil, De Vinchy la fille de…

Il n'entendit pas la suite, il se leva tant bien que mal, se dirigea vers la piste, mais s'étala de tout son long et atterrit aux pieds de la demoiselle. Du sol, il ne voyait que ses longues jambes, elle paraissait très grande, elle se baissa et lui dit :

— Vous êtes qui, jeune voltigeur…

Il ne voyait que ses yeux bleus et ses cheveux blonds en désordre. Il mit un certain temps à lui répondre :

— Mathieu, expert en communication, je peux vous aider à financer un projet. Il lui donna sa carte… venez me voir…

Elle le regarda, souriante, prit sa carte et s'en alla.

Tout s'était passé si vite… il était toujours allongé au sol et Michel et Jean eurent du mal à le relever. Il baragouinait…

— Je viens de voir un ange, un ange blond aux yeux bleus, mon ange… mon ange à moi…

— Il est fou, il ne sait plus ce qu'il raconte.

— Il n'est pas fou, il est saoul, il faut le ramener chez lui.

Il passa tout le dimanche à dormir, enfin plutôt à « décuver ».

En fin d'après-midi, Michel et Jean le retrouvèrent chez lui, encore vaseux, mal à la tête, mais persista dans ses réflexions :

— Cette fille n'était pas mal, n'est-ce pas !

— Arrête Mathieu, cette fille n'est pas pour toi. C'est la fille de De Vinchy, l'architecte qui a construit les principaux bâtiments de Paris et il est mondialement connu.

— Quand je pense que je lui ai proposé de l'aider à financer un projet… j'ai dû passer pour une gourde… quel imbécile… elle doit bien rire maintenant… mais quand même, elle a pris ma carte.

On en resta là.

Quelques jours plus tard, il réfléchissait dans son bureau : ça ne pouvait pas durer, à vingt-cinq ans il était grand temps qu'il se réveille un peu, il vivotait, il avait du travail, des projets en pagaille qui ne trouvaient pas preneur, ou qui rapportaient peu.

La semaine finissait comme les autres, lorsqu'à seize heures trente, ce vendredi, se présenta une dame… lunettes noires, coiffée d'un canotier, un deux-pièces beige clair, un sac croco en bandoulière… la classe.

Il se leva et lui présenta un siège, elle s'assit et enleva un gant, ôta ses lunettes et le regarda fixement.

Il fut gêné par ses yeux bleus qui… il se reprit rapidement.

— Que puis-je pour votre service ?

Il se dit : encore une femme qui a besoin d'argent et qui doit vivre au-dessus de ses moyens.

— Je n'ai besoin de rien. Elle sortit une carte de son sac et… je crois que vous m'avez invité à venir vous voir.

Il ne l'avait pas reconnu tout de suite. Entre la jeune fille d'un soir de gala et la femme qu'il avait devant lui…

Avec son maquillage très fin, sa tenue très classe, c'était une autre personne. Il ne se démonta pas, il alla au but directement, il n'avait rien à perdre.

— Je comprends que vous n'avez pas besoin de mes services. Alors, pourquoi êtes-vous venue ?

— J'ai retrouvé votre carte dans mon sac et comme je suis curieuse de nature, je tenais à vous rencontrer, car vous avez une drôle de façon de vous présenter, ça m'a fait rire.

— Oui, je reconnais que c'était inattendu.

— Vous pourriez m'inviter un soir d'une manière plus solennelle !

Il rougit un peu et répondit en riant simplement : entendu, à condition de vous habiller plus…

Elle se leva et lui dit en partant.

— Je vous rappelle, en attendant trouvez-nous un endroit… insolite.

Elle s'en alla, la visite avait duré à peine une demi-heure.

À peine sorti, il cherchait déjà sur son ordinateur le moyen de l'épater. Il sifflotait de bonheur, il ne s'attendait pas à cette visite, bien qu'il l'espérât. Après une heure de recherche, il pensa que cette fille avait tout ce qu'elle voulait, les moyens de se payer des endroits extraordinaires, alors il s'arrêta et se dit qu'il aviserait sur le moment ; surtout que ses finances n'étaient pas au top. Il fallait d'abord qu'elle rappelle.

Une semaine passa, puis deux, rien ; il ne savait pas comment la contacter. Bien qu'il connaisse son nom, pas de carte de visite pour la rappeler. Il attendait son appel impatiemment.

Chaque semaine, le mercredi soir, les trois compères se retrouvaient à la brasserie du coin et se remémoraient des souvenirs d'étudiants. Il leur parla de cette visite et Michel lui rappela :

— Laisse tomber Mathieu, cette fille n'est pas pour toi, elle te balade.

— Eh ! Si elle s'est manifestée, peut-être qu'elle a le béguin pour toi, Mathieu, tu as un ticket, dit Jean en riant.

— Avec vous, on ne peut pas parler sérieusement.

Le lendemain, il était sur le point de fermer son bureau, lorsqu'il la vit arriver, vêtue un corsaire bleu, des chaussures assorties, un chemisier blanc noué au ventre, et un foulard sur ses cheveux blonds, un sac en bandoulière. Tout de suite, en faisant un tour sur elle-même, lui demanda :

— Est-ce que ma tenue vous convient aujourd'hui !

— Eh ! Oui… tout à fait.

— Alors, on peut la faire cette sortie ! Vous avez sûrement une idée !

— Oui, bien sûr, j'ai réservé, mentit-il.

— Bien (elle hésita un moment puis se lança), mes parents partent ce week-end en Sologne et comme je n'ai pas envie de les accompagner, nous pouvons nous voir samedi ?

— Samedi, c'est d'accord, s'empressa-t-il de dire.

Je passerai vous prendre samedi vers dix-neuf heures avec la voiture de mon père, mon chauffeur nous emmènera à l'adresse que vous lui indiquerez. Et elle s'en alla, sans plus.

Samedi, c'était après-demain et c'est là qu'il réalisa qu'il n'avait rien préparé. Il fallait aller vite pour réserver. Il était agacé de n'avoir pas persisté dans ses recherches et maintenant il était coincé.

Il appela plusieurs restaurants, tous étaient complets. Il commençait à désespérer. Puis il se dit : cette fille a tout vu, tout fait... alors, restons simples. Le but ce n'est pas de l'épater, mais d'être « avec elle ». Il trouva l'endroit, de toute façon, il ne pouvait pas faire de folies, ses finances étaient toujours au ras des pâquerettes.

Michel et Jean lui proposèrent de l'aider et apprenant où il voulait l'emmener, ils se regardèrent et se demandèrent si ça allait plaire. Mais bon, c'est lui qui avait choisi et ils approuvèrent le déroulement de la soirée.

Samedi, le bureau était fermé et ça lui parut drôle de s'y retrouver seul sans bruit. Il était là depuis dix-huit heures. Il portait un pantalon noir, une chemise blanche et un pull gris clair sur les épaules.

Vers dix-neuf heures trente, une voiture noire, une Mercedes classe A, aux vitres teintées s'arrêta devant le bureau. Un homme d'un certain âge sortit du véhicule et alla ouvrir la porte arrière.

— Monsieur. (Le chauffeur lui indiquait qu'il pouvait monter.) Une voix féminine qu'il connaissait l'interpella.

— Allez, montez.

Il s'assit à côté d'elle. Elle avait un deux-pièces couleur turquoise, un mini turban sur la tête. Elle enleva ses lunettes dévoilant ses yeux bleus irrésistibles.

— Indiquez l'adresse à Gaston.

Subjugué par sa présence, il hésita un instant, puis

— 7 rue du Faubourg Montmartre.

— Bien Monsieur.

Ce n'était pas si loin de là où ils étaient, ils restèrent silencieux pendant le trajet. Arrivés sur place, elle dit à Hubert :

— Vous pouvez disposer, si j'ai besoin de vous, je vous rappellerai.

Devant le restaurant, il y avait foule et la plupart repartaient déçus de ne pas avoir réservé.

— Ce soir, c'est une soirée privée et si vous n'avez pas retenu votre table… je suis désolé.

— J'ai réservé, Marchand…

Le portier regarda sa liste.

— C'est bon, vous pouvez rentrer.

Une hôtesse, par le tourniquet, les fit rentrer dans l'immense salle de style Belle Époque classée aux monuments historiques en 1989. Le décor, depuis la dernière fois où il était venu, n'avait pas changé, mais… il y avait cependant quelque chose de différent.

L'hôtesse après avoir vérifié son plan de tables, les accompagna en leur disant :

— Ce soir, c'est l'anniversaire du Chef. On fête ses vingt-cinq ans de boîte et il a concocté un menu unique. Voilà, ici vous allez être très bien.

Effectivement, placés quelques marches plus haut, ils pouvaient admirer toute la majestueuse salle, où au centre on avait retiré quelques tables pour laisser la place à une estrade où était installé un piano.

Mathieu prit la parole :

— Alors ça vous plaît !

— Il faut reconnaître que c'est surprenant, je n'ai pas l'habitude de ce genre d'endroit, mais ce n'est pas désagréable.

Rapidement, on leur servit un cocktail maison à base d'orange… alcoolisé, peut-être du rhum, accompagné de quelques amuse-bouche finement préparés.

— Ce lieu est insolite, le tableau là-bas est original.

— Ce tableau a été réalisé par le peintre Germont qui créa cette œuvre pour rembourser sa dette… On règle ses dettes comme on peut…

— Les petits meubles autour…

— Ces meubles à tiroirs ont une particularité, les habitués y déposent leur serviette.

La salle se remplissait et ils étaient obligés de parler plus fort. On leur proposa un deuxième cocktail, qu'ils acceptèrent, ce qui libéra la parole.

— Alors Mathieu, je peux vous appeler Mathieu, l'agence tourne bien, vos projets…

— Oui, bien sûr, Mathieu pour vous servir, répondit-il.

Les affaires, je suis débordé, je ne sais pas où donner de la tête… mais il se ravisa, elle devait connaître sa situation et reprit :

— Non, je vivote, j'ai des projets mais je n'arrive pas à les concrétiser, car les investisseurs sont réservés et hésitent à se lancer, je ne dois pas être assez persuasif.

Elle l'observait de son regard bleuté, les yeux brillants, peut-être dus au cocktail.

— Vous pouvez m'appeler Claé. Je vais vous faire une confidence. Je n'ai pas été toujours… mon père voulait… que je fasse des études en rapport avec sa profession. Ils n'ont eu qu'un enfant, mon père voulait un garçon, et il a été déçu et… il m'a un certain temps ignoré. Heureusement, ma mère était là.

Elle se posa un instant, but un peu d'eau fraîche qui lui fit du bien et reprit :

— Comme j'étais une bonne élève et agréable à vivre, lorsque j'ai été reçue au BAC avec mention et que j'ai choisi Les Beaux-Arts, mon père a changé et a fortement apprécié ce choix. Depuis, je suis la chouchou de la famille et j'ai tout ce que je veux.

— Les enfants changent, mais les parents aussi.

On leur servit le repas.

Entrée : Avocat sauce crevettes avec des cubes de foie gras ;

Plat : Un rumsteak tranché sur un lit de pommes de terre ;

Fromage : Un chèvre sur une salade frisée ;

Dessert : La fameuse coupe maison chantilly.

Au dessert, ils s'étonnèrent de parler fort, car le brouhaha était descendu d'un ton, et pour cause, ils ne s'étaient pas aperçu qu'un jeune homme s'était installé au piano. Ils virent que des clients se levaient et lui parlaient, et bien sûr, contre un billet, il jouait ce qu'on lui demandait.

On leur avait servi la fameuse coupe maison chantilly… un délice.

La soirée était agréable et lorsqu'ils sortirent du restaurant, onze heures, la chaleur était encore là et elle dit :

— J'appelle Hubert, et il va nous ramener.

— Non, cette fois, j'appelle mon chauffeur.

Il fit un signe, leva la main et une voiture s'approcha. Une 2 CV décapotable beige se gara près d'eux.

Elle rigola, même, elle s'esclaffa.

— Je ne me moque pas, mais c'est tellement inattendu.

— Claé, je vous présente Michel et Jean mes deux meilleurs copains, ils nous emmènent en balade.

— C'est sérieux, je peux avoir confiance.

— Vous pouvez compter sur nous, Mademoiselle, répondit Jean, et Michel ouvrit la porte arrière.

— Pour vous servir, Mademoiselle, et Mathieu monta à côté d'elle.

— Et où allons-nous Mathieu !

— Surprise Claé.

Ils se dirigèrent vers la place Blanche, Michel conduisait et Jean commentait comme un guide.

À droite, le Moulin Rouge, ici la Basilique du Sacré-Cœur, puis l'amphithéâtre, les arènes, l'Église St Pierre, puis place du Tertre… on est arrivé, tout le monde descend.

— Messieurs, vous pouvez disposer, dit Mathieu.

Ils saluèrent Claé et reprirent leur chemin.

Il était minuit et il y avait toujours autant de monde sur cette place, la place des peintres, des portraitistes. Ils marchèrent un moment à travers les petites rues et arrivèrent sur les marches de la Basilique où ils s'assirent. Ils n'étaient pas seuls. Une vue extraordinaire sur la Capitale :

— C'est ici que j'aime Paris, dit Mathieu.

Elle le regarda, s'approcha, l'embrassa tendrement sur la joue, il lui rendit ce baiser.

— J'ai passé une très belle soirée, c'était surprenant, inattendu. Je n'oublierai pas.

18

Le clocher sonna une heure, le temps était passé si vite, et elle réalisa qu'elle devait rentrer. Il lui proposa de la raccompagner, mais elle appela son chauffeur qui arriva cinq minutes plus tard (à croire qu'il les avait suivis toute la soirée).

Avant de monter dans la Mercedes, elle revint sur ses pas et lui donna un baiser furtif sur la bouche et lui dit :

— Merci encore, je vous rappelle.

Il resta un moment pensif, rêveur. La Mercedes était partie depuis un moment, lorsqu'un des copains lui tapota l'épaule.

— Alors, raconte.

— Alors quoi, je lui ai proposé de la ramener et...

— Tu parles, je vois mal débarquer en 2 CV dans sa rue, ça ferait un peu tache, pour elle.

Il ne répondit pas.

Déjà un an qu'ils se voyaient régulièrement, ça devenait sérieux, mais son travail végétait toujours. Il désespérait de réussir un jour. Il avait même pensé à changer de métier, mais quoi faire, travailler dans une entreprise pour traîner dans un bureau, entrer dans une administration pour classer des dossiers. Il attendrait encore un peu, puis il prendrait une décision définitive.

Ce jour-là, samedi, elle l'appela pour lui dire qu'elle passerait le prendre vers quinze heures. Elle arriva en scooter. Elle le surprenait toujours, elle était étonnante.

— Tu aimes... alors, emmène-moi à Montmartre, en lui donnant un deuxième casque qu'elle avait prévu.

Elle lui laissa la place devant et ils filèrent à Montmartre.

Comme la première fois, ils firent le tour de la place du Tertre et s'arrêtèrent devant un vieux peintre qui leur proposa de faire leur portrait ensemble. Ils se regardèrent et acceptèrent la proposition. Assis côte à côte, ils voyaient les gens rire et bien sûr, à la fin, ils comprirent ; l'artiste avait dessiné deux caricatures finement exécutées.

Ils firent une pause, au café des deux moulins (le célèbre café d'Amélie Poulain), une fraîche boisson les désaltéra, car il faisait chaud.

Puis, assis sur les marches du Sacré-Cœur, elle lui dit :

— J'ai une surprise pour toi.

— Encore, on est bien ici, on pourrait…

— Non, je t'emmène… et puis une surprise, c'est une surprise, tu verras bien.

— Mais je ne suis pas correctement habillé.

— Tu es très bien comme çà.

— Allez viens, cette fois c'est moi qui conduit.

Ils récupérèrent le scooter et filèrent tout droit. Il était accroché à elle, et il aimait bien, il ne voyait pas où elle allait. Enfin, elle s'arrêta, la rue était calme et ombragée, des villas de style 1950, rupin.

— On est où ?

Il ne connaissait pas cet endroit.

— Le 6e, Quartier Vaugirard, on est chez moi, enfin chez mes parents.

— Mais je ne peux pas rentrer comme ça, chez tes parents…

— Si, tu es parfait : depuis le temps que mes parents veulent faire ta connaissance…

Elle sonna, et tout de suite une femme habillée en noir et tablier blanc leur ouvrit.

— Bonjour Marie, mes parents sont là ?

— Bonjour Mademoiselle, oui, ils sont installés au salon.

C'est son père, Georges De Vinchy, qui se leva en premier.
— Bonjour ma fille.
— Maman, Papa, je vous présente Mathieu.
— Enchanté Mathieu, je peux vous appeler Mathieu, jeune homme. Vous savez, vous êtes le premier garçon que Claé nous présente, vous m'étonnez jeune homme…
La mère répondit :
— Ne l'écoutez pas, venez vous asseoir à côté de moi et bien sûr, vous restez dîner avec nous.
— Je ne veux pas vous déranger, Madame.
— Tout est prêt, un repas simple.

Marie apporta un plateau avec du Porto et une assiette de mignardises.
Les discussions, bien que Mathieu restât un peu timide, allaient bon train. Le repas passa assez vite, d'ailleurs pour un repas simple : foie gras aux pruneaux d'Agen, cailles aux raisins de Corinthe et glace aux fruits rouges fait maison.
Ils s'installèrent au salon pour le café. Madame De Vinchy s'attarda avec Claé et lui dit :
— Ce garçon me plaît, il a une certaine prestance.
Monsieur De Vinchy attrapa Mathieu par l'épaule et un peu à l'écart.
— Mathieu, Claé m'a beaucoup parlé de vous, je n'ai qu'une fille, je sais qu'elle vous… apprécie beaucoup…
— Monsieur, si je peux me permettre, j'aime votre fille, ça sera elle ou personne.
Il le regarda et cligna des yeux.

Jeune homme, il ne faut pas dire « fontaine je ne boirai pas de ton eau », mais je vois que vous tenez à ma fille et ça me va. Bon, parlons d'autre chose. Comment vont les affaires !

Il ne tricha pas, car il se doutait qu'il connaissait sa situation.

— Les affaires sont timides, j'ai des projets, mais les investisseurs ne se bousculent pas, peut-être un manque de confiance…

Monsieur De Vinchy l'écouta, se gratta le menton et lui répondit :

— Dans les affaires, il faut savoir être patient.

Patient, il l'était, mais ça commençait à être long.

Et voilà, il manquait ce coup de pouce. Mais, Monsieur De Vinchy ouvrait son carnet d'adresses. À chaque réunion, il conseillait à ses relations de faire un investissement (calculé) chez Mathieu Marchand. La confiance revenue, ses affaires prospéraient. Il avait multiplié son chiffre d'affaires par dix et ça continuait. De deux personnes au début, aujourd'hui une vingtaine l'accompagnait.

Il faut reconnaître qu'étant membre du Jury du concours Lépine, il avait le nez pour trouver l'invention qui le méritait. Et souvent, ce n'était pas les trois premiers primés qui rapportaient le plus.

Il repérait l'invention, lui trouvait les fonds par un investisseur. Chacun y trouvait son compte, association ou participation aux bénéfices. Et pour Mathieu un pourcentage aussi sur les bénéfices à venir. Mais pourcentage mensuel, car le marché était fluctuant.

Un an s'était passé depuis la première visite chez les parents de Claé.

Ce soir-là, il arriva chez eux, costume, nœud papillon, un bouquet de fleurs des champs et une bouteille de champagne.

C'est Claé qui lui ouvrit, elle l'embrassa :

— On fête quoi ?

— C'est une surprise.

Ils se dirigèrent au salon où les attendaient Monsieur et Madame De Vinchy.

Il s'avança vers Madame et lui offrit le bouquet de fleurs, puis vers Monsieur, la bouteille de champagne et lança d'un ton cérémonial :

— Madame, Monsieur, j'ai l'honneur de vous demander la main de votre fille…

Il s'arrêta là, car il ne trouva pas autre chose à dire, il était très ému…

C'est Madame qui coupa le silence.

— Bon, ouvrons alors cette bouteille et faisons-en honneur.

Monsieur De Vinchy, hésita un peu, s'avança vers Mathieu, donna l'accolade et doucement lui dit :

— Vous en avez mis du temps à vous décider, mon garçon.

— Il y a longtemps que je le souhaitais, mais vous m'impressionnez.

— Mathieu, mon futur gendre, il y a des choses qui n'attendent pas, alors buvons… mais Claé est-elle d'accord ?

Elle était là, muette, une larme coulait, elle s'approcha de Mathieu et l'embrassa tendrement.

Six mois après, ils se marièrent. Un mariage simple, enfin il y avait une centaine de personnes. De son côté, son père, sa mère, son frère et son épouse accompagnés de leur fille. Du côté de Claé, quatre-vingts invités et pas des moindres, des personnalités, des personnes qui n'étaient pas dans le besoin et bien sûr, encore une fois, on voulait le rencontrer.

Vingt-cinq ans plus tard, il était milliardaire, son entreprise avait prospéré. Il ne travaillait pas qu'en France, il avait ouvert des succursales à l'étranger. C'est son beau-père qui lui avait conseillé d'agrandir son horizon – laisse la France à tes collaborateurs, tu as plein d'opportunité en Europe –. Sa notoriété était telle qu'on le quémandait de partout, en Europe, surtout en Europe de l'Est, en Afrique, en Asie, en Amérique, excepté l'Amérique du Nord, car il était difficile administrativement d'y aller.

Il avait compris que les pays demandeurs avaient besoin d'aide, mais pas de « conquistadors » Il fallait les aider tout en trouvant un bénéfice pour les investisseurs.

Alors, on avait créé des hôpitaux, des écoles, des fermes en utilisant la main-d'œuvre locale. On compensait par les bénéfices des ventes des produits. On créait des centres de formation où les Européens venaient en stage pour se perfectionner dans leur discipline.

Deux ans après leur mariage, Claé se retrouva enceinte ; naquirent les jumeaux Bruno et Laétitia.

Les grands-parents étaient heureux, mais ils n'en profitèrent pas beaucoup.

Quelques années plus tard, Monsieur De Vinchy, qui ne se ménageait pas, mourut d'un infarctus et Madame, qui ne supporta pas cette absence, mourut l'année d'après.

C'est Claé qui hérita de tout le patrimoine, mais elle laissa la direction au cabinet d'étude et ne participait qu'aux assemblées annuelles.

Bruno et Laétitia avaient grandi. Bruno avait suivi des études de géologie et était toujours par monts et par vaux. On savait où il était allé, que lorsqu'il revenait raconter ses exploits. Laétitia avait suivi, comme son père, l'école de commerce et avait pris la voix management des entreprises et travaillait dans celle de son père.

Claé avait ouvert deux galeries d'art. La première exposait des œuvres d'artistes connus ou à la mode. La seconde était réservée à de jeunes talents dans l'attente d'être reconnus. Elle aimait cette fonction, c'était son hobby…

**

Encore une fois, Henri l'interpella :
— Monsieur, votre courrier.

Dans le courrier, une vingtaine de lettres à lire et à confirmer. Deux enveloppes n'étaient pas ouvertes, une, en papier kraft marquée « personnelle », l'autre blanche marquée « confidentielle ». Il les mit de côté, car comme d'habitude, ça devait être des lettres de sollicitation, de demande d'emploi…
Il s'attaqua au courrier déjà ouvert, lisait, parcourait, signait et ainsi de suite.
Il s'arrêta, regarda Henri.
— Henri, depuis combien de temps êtes-vous à mon service ?
— Dix-huit ans et six mois, Monsieur.
— Vous êtes marié, Henri.
— Non, Monsieur.
— Vous ne sortez pas.
— Je n'ai pas le temps, Monsieur.

Il le regarda,

— Henri, vous n'êtes pas…

— Non, Monsieur, j'aime beaucoup les femmes, mais mon travail me prend beaucoup de temps et je n'arrive pas…

— Vous voulez dire que je vous fais trop travailler.

— Non, Monsieur, j'aime mon travail et je suis bien… à votre service.

— Mais vous n'avez personne, Henri.

— Mon ancienne amie m'a quitté, me trouvant trop occupé et surtout trop absorbé par mon travail.

Il n'insista pas, car Henri lui rappela :

— Monsieur, vous devriez terminer le courrier, votre fille va arriver. Vous participez à la réunion mensuelle à neuf heures trente.

— Dites-moi, Henri, si vous étiez à ma place, que feriez-vous.

— Je ne suis pas à votre place, Monsieur.

Il venait à peine de terminer le courrier, qu'une belle jeune fille entra, Laetitia, la fille de Monsieur Marchand. Dans les réunions, elle vouvoyait son père, mais seuls, elle le tutoyait même en présence d'Henri.

— Papa, tu n'as pas encore terminé !, ce matin nous avons deux dossiers importants à traiter en réunion.

— Ma fille, nous parlions avec Henri et peut être qu'il est temps de passer la main, je me sens un peu fatigué et bientôt tu prendras ma place, alors tu pourrais commencer, dès aujourd'hui la réunion sans moi.

— Papa tu dis toujours la même chose, tu dois être là, le premier dossier, la Colombie, le deuxième L'Iran.

— On ne doit pas traiter avec eux dit-il sèchement.

— Je savais que tu réagirais ainsi, alors, on en parlera en réunion.

— Bon, tu retardes la réunion d'une demi-heure et tu reviens me chercher.

Il termina la lecture du courrier, rien de bien important à traiter, comme d'habitude des demandes d'emploi, demandes d'aides financières, quelques menaces... Il allait se lever lorsqu'il aperçut les deux lettres qu'il avait mises de côté.

Il ouvrit la première, la blanche marquée confidentielle, elle venait de son ami, le Maire. Sûrement encore une invitation à un lunch. Très brève. Cher Ami, j'espère ne pas vous déranger, nous avons pensé, en réunion municipale, vous proposer au Prix Nobel de la Paix. Nous vous attendons pour votre accord. Bien à vous Le Maire.

Il s'esclaffa et dit à Henri :

— Henri, vous ne connaissez pas la dernière, la municipalité veut que je me présente pour le Prix Nobel de la Paix, c'est pas drôle ça.

— Monsieur a tort, vous avez toutes vos chances. Pratiquement, l'Europe votera pour vous, l'Afrique vous est acquise, une bonne partie de l'Amérique du Sud, ainsi que l'Asie. L'Amérique du Nord se présentera seule, la Chine et la Russie aussi.

Il réfléchit un moment et dit :

— Henri, appelez-moi le Maire pour refuser cette proposition.

La communication fut vite établie.

— Monsieur le Maire, bonjour je...

— Je savais que vous seriez d'accord Marchand, le dossier est déjà sur les tablettes, nous sommes ravis...

— Borman, mon ami, vous ne pensez que quelqu'un d'autre serait plus méritant.

— La décision est prise et vous serez un excellent candidat. On se voit rapidement pour finaliser, à bientôt, et il raccrocha.

Pensif, indécis, embarrassé, il ouvrit la deuxième lettre marquée personnelle. C'était une invitation à un voyage. Une croisière-conférence de douze jours. Il n'y avait rien de bien précis, mais de belles photos paradisiaques. Trois conférences étaient prévues.

Une « sauvons la planète »

L'autre « vivre libre »

Enfin « savoir donner »

Un vaste débat.

Il n'y avait pas d'autre précision, pour avoir plus d'information, il fallait appeler un numéro d'accueil.

Il donna le prospectus à Henri.

— Essayez d'avoir plus d'informations.

— Bien, Monsieur.

Il se leva au moment où Laetitia venait le chercher, lorsqu'ils arrivèrent dans la salle de réunion, les huit collaborateurs se levèrent pour le saluer. Il leva la main en signe d'approbation et s'assit en bout de table. On commença par des dossiers peu importants, puis on attaqua le dossier Colombie. On exposa brièvement le dossier. Monsieur Marchand prit la parole :

— Mesdames, Messieurs, vous savez que je ne veux pas intervenir dans tout ce qui touche à la drogue, j'interdis toutes relations avec ce type de pays. La Colombie est un acteur majeur du narcotrafic au niveau mondial, il est le premier pays producteur de cocaïne dans le monde. Les cartels se déchirent entre eux, recrutant dans les quartiers défavorisés une véritable armée de sicarios qui forcent les paysans à travailler pour eux. Les autorités colombiennes ont peu de pouvoir et souvent les cartels emploient d'anciens fonctionnaires, corrompus. Et vous voulez aider ces gens-là, personne ne viendra investir dans ce pays.

Après ce discours, l'assemblée n'osa prendre la parole. C'est Laetitia qui intervint, aucun ne voulant contredire le Président.

— Monsieur le Président, tout ce que vous avez énoncé est vrai, nous ne contestons pas, mais nous pouvons intervenir ; si nous aidons à replanter des plans de café dans les nouvelles zones, cette culture pourrait prendre peu à peu le dessus sur celle du coca. Petit à petit, la culture du coca diminuerait et ça donnerait du travail aux « Campesinos ». D'autre part, le nouveau gouvernement est prêt à nous épauler et fera tout pour nous aider. Il a la volonté d'agir, mais n'a pas de moyens financiers.

Bref silence, puis Martin, le spécialiste de l'Amérique du Sud intervint :

— Monsieur, j'ai pu discuter avec le nouveau gouvernement et leur jeune président Méndes est prêt à nous soutenir. Des groupes paramilitaires, ainsi que certains guérilleros, luttent contre les cartels, mais ce n'est pas suffisant. Méndes a peur que ça dégénère en une guerre civile. C'est pourquoi, en les aidant à installer de nouvelles plantations de café, le peuple pourrait être satisfait ; les narcotrafiquants ne verront qu'une opération banale et n'interviendront pas. Lorsque le processus sera lancé, il sera difficile de l'arrêter. C'est sûr, ça prendra du temps, mais il faut bien commencer…

Il y eut un brouhaha parmi les huit intervenants, chacun donnant son opinion.

Depuis plus de deux heures qu'ils étaient sur ce sujet ; aussi Monsieur Marchand se leva :

— Nous faisons une pause.

Malgré la clim, il avait chaud et il décida de se retirer un moment dans son bureau personnel pour se rafraîchir.

Le Comité Directeur resta là, revenant toujours sur ce projet difficile, mais pas irréalisable. Il fallait convaincre le Président.

— Mademoiselle, intervint Martin, vous pensez que votre père acceptera de se lancer dans cette opération.

— Je ne sais pas, mais ce n'est pas un refus définitif ; pendant cette pause, il va réfléchir.

Arrivé à son bureau, Henri l'attendait et sans même lui demander, lui présenta sa boisson préférée, un grand verre d'eau pétillante citronnée, agrémentée de quelques feuilles de menthe, légèrement alcoolisée de Cointreau.

Il s'assit un moment et sirota le contenu de son verre.

— Henri, comme je vous l'avais demandé, vous avez écouté… qu'en pensez-vous.

— Monsieur, je ne suis pas à votre place, mais je pense que si cette opération se réalise, elle ne ferait que conforter la proposition du jeune Président Méndes.

— Donc, vous êtes pour… bon, on en reparlera. Avez-vous des informations sur cette invitation au voyage ?

— Oui, Monsieur, c'est une compagnie privée peu connue en Europe, mais très cotée pour ses conférences. Ce navire de taille moyenne peut contenir cinq cents hôtes ; toutes les cabines sont des suites de luxe avec balcon. Un restaurant avec un chef étoilé, un cinéma-théâtre, une salle de conférence, une salle de sport et fitness, piscine. Le prix, élevé, est en rapport avec les prestations proposées. Donc, réservé à une certaine clientèle.

Une réservation pour deux personnes vous a déjà été attribuée dans l'attente de votre accord.

— Henri, avez-vous déjà fait une croisière.

— Non, Monsieur, mes moyens ne me le permettent pas.

— Il y a longtemps que vous n'êtes pas parti en vacances.

— J'ai peu de temps disponible, quelques week-ends, lorsque vous me l'autorisez.

— Henri, vous insinuez que j'accapare la plupart de votre temps.

— J'aime mon travail Monsieur.

— Je vais remédier à ce problème, et vous donner plus d'indépendance. Henri, je vais accepter cette invitation de croisière, ça me libérera de toutes ces tensions pendant douze jours.

— C'est une bonne décision, douze jours, ce n'est pas très long et Melle Laetitia s'occupera des affaires courantes et je pourrais l'aider éventuellement. Je confirme immédiatement votre réservation avec Madame.

— Madame n'est pas disponible, elle ne pourra pas venir ; elle a une exposition dans sa galerie pour son nouveau protégé, l'artiste OéLe, elle y tient beaucoup. Elle croit en lui et ne veut, en aucun cas, manquer la première. Alors, j'ai décidé que c'est vous qui m'accompagnerez.

— Monsieur, je ne peux accepter, je ne serais pas à ma place.

— Si, vous avez aussi besoin de vous changer les idées ; vous ne travaillerez pas, vous viendrez en tant que conseiller… collaborateur… non, mieux je vous présenterai comme mon filleul.

— Je vous remercie, mais je ne sais pas si je pourrai rester sans rien faire.

— Henri vous êtes trop… mais, si vous voulez travailler, un seul téléphone et vous ne traiterez que les urgences, mais vraiment que les urgences. Vous ne l'allumerez que deux fois par jour.

Henri servez-nous un autre rafraîchissement et trinquons à ce voyage.

Deux semaines passées après la dernière réunion, un des dossiers avait été entériné. Le dossier de la Colombie.

S'il avait accepté ce dossier, ce n'était pas par plaisir, car Monsieur Marchand était contre ces pays qui exploitaient sans scrupule le peuple.

Il avait donné son accord, car il commençait à fatiguer et il sentait que c'était l'occasion indirectement de passer la main. Il voyait sa fille Laetitia motivée, pleine d'entrain pour ce dossier, ainsi que la majorité du conseil, il se dit… c'est le moment de la voir à l'œuvre.

Tout alla très vite ; il ne sut comment elle avait réussi à trouver autant de partenaires pour parrainer cette opération.

Laetitia était intervenue auprès du ministère des Affaires étrangères qui l'avait écouté attentivement sans s'opposer à ce projet. C'était une affaire privée et tant qu'on ne touchait pas aux finances de l'état, on cautionnait discrètement ; mais, s'il y avait des bénéfices à prendre, alors on interviendrait…

Monsieur Marchand reçut un courrier, par l'ambassade de Colombie, pour le remercier de cette décision ; le Président Méndes était prêt à le recevoir pour valider le projet.

Maintenant, il se sentait rassuré, sa fille prenait la succession efficacement. Il avait espéré un moment que son fils, Bruno lui succéderait, mais celui avait suivi une autre direction. Aujourd'hui, sa fille avait pris le relais, et il ne le regrettait pas.

Bruno n'était pas le genre de personne à rester sur place à traiter des dossiers, il voulait son indépendance, être libre de ses mouvements. Il avait fait des études d'histoire ancienne et de géologie, et partait souvent à la recherche des secrets de l'histoire.

Aux dernières nouvelles, il était en Égypte, suite de la découverte de deux nouveaux sites repérés par image satellite, par l'archéologue américaine Angela Micol. Mais comme ces informations dataient de plus de six mois, on n'était pas sûr qu'il y soit encore. Il apparaîtra un jour à l'improviste et racontera ses péripéties.

Debout, devant la grande baie vitrée, Monsieur Marchand regardait Paris dans la brume.

Au-dessus de cette brume, on ne voyait que les derniers étages des grands immeubles et le dernier de la tour Eiffel. Il pensa à haute voix :

— Il faudrait trouver un moyen pour aspirer toute cette brume ; Paris d'ici est si beau sous le soleil sans pollution. Bien sûr, au cinquante-quatrième étage de la tour Montparnasse, tout le monde n'avait pas ce plaisir.

Henri son majordome l'interpella.

— Monsieur, votre courrier ; n'oubliez pas vous avez rendez-vous avec le Maire à onze heures.

Il s'installa à son bureau, ouvrit le dossier, rien d'urgent, toujours quelques lettres de recommandation... il s'arrêta pensif :

— Henri, cette visite à la mairie ne me tente pas, je crois que je ne vais pas y aller, vous pourriez me remplacer.

— Monsieur, vous connaissez la raison de ce rendez-vous, vous ne pouvez pas refuser cette invitation.

— Mais vous pourriez y aller à ma place, vous avez toutes les compétences et toute ma confiance.

— Monsieur, c'est une invitation personnelle et je ne peux pas vous remplacer, je pense que le Maire serait vexé.

— Bien, j'irai alors, demandez à Madame si elle est disponible.

— Madame est toujours occupée à préparer la première de son protégé OéLe.

— Ah ! Oui, j'avais oublié.

Il y eut un bref silence et…

— Henri, encore une fois, vous m'accompagnez, c'est bien ainsi, n'est-ce pas ?

— Bien Monsieur, je fais préparer la voiture.

Henri avait l'habitude, il connaissait l'agenda de Madame Marchand et de Monsieur, ce lui permettait de s'organiser pour disposer du véhicule. Il n'y avait jamais eu de problème, chacun y mettant du sien, et ça, c'était son boulot de trouver le bon compromis.

— Henri, reprit Monsieur Marchand avant de sortir, où en est notre voyage ?

— Je n'ai pas reçu encore toutes les informations. Le départ est prévu dans trois semaines. On décollera de Charles De Gaulle direction Pointe-à-Pitre, puis, on embarquera sur le Sud América. Je vais les appeler pour avoir un programme plus complet.

Vers dix heures, le voiturier appela Henri en lui disant que la voiture était devant l'immeuble et qu'il attendait.

Ils étaient prêts, car Monsieur Marchand ne voulait pas s'éterniser chez le Maire. Quelques bouchons ralentirent la circulation, mais ils arrivèrent à l'heure.

À l'entrée de la mairie, dans le hall, la secrétaire les attendait leur indiquant un petit salon ; elle revint les chercher et les amena dans une autre pièce où déjà il y avait pas mal de monde, une vingtaine de personnes qu'il connaissait, pour la plupart. Il les salua, le Maire entra.

— Bonjour Mesdames, Messieurs, je vois que tout le monde est là, vous pouvez vous asseoir.

Ils s'assirent autour de la grande table rectangulaire, devant eux, un dossier et une boisson. Situation énigmatique a priori, personne n'était au courant du motif de ce rendez-vous.

Enfin, le Maire prit la parole :

— Mesdames, Messieurs, j'ai reçu un courrier personnel de la F E M (Forum Économique Mondial) nous invitant à participer à la prochaine réunion exceptionnelle à Davos. Le thème de la réunion ne m'a pas été entièrement communiqué, mais il y a urgence sur un conflit international qui se prépare. J'ai reçu les convocations personnelles pour assister à ce forum. On annonce que de nombreuses personnalités y assisteront, vu le sujet à traiter.

La F E M appelé aussi Forum de Davos en Suisse est une fondation à but non lucratif dont le siège est à Genève. Elle compte un bon millier de chefs d'entreprises, de personnalités politiques, d'intellectuels, de journalistes du monde entier.

Elle porte attention sur les problèmes économiques et sociaux. Elle traite divers sujets, en particulier, résoudre les conflits internationaux pour aider à aplanir leurs différends.

C'est ainsi qu'on a pu éviter une guerre entre la Grèce et la Turquie en 1988, et bien d'autres conflits encore.

Les entreprises membres versent d'importants droits d'adhésion pour assurer la pérennité de la fondation.

De nombreux médias assurent les comptes rendus des sessions inscrites au programme officiel.

Le Maire reprit la parole :

— Devant vous, vous avez un dossier qui comporte votre invitation à ce forum, tous les détails pour y assister et l'exposé de la réunion.

Chacun prit le temps de lire minutieusement le contenu du dossier.

Monsieur Marchand se tourna en direction d'Henri qui se tenait en arrière et d'un signe l'interpella. À voix basse, il lui signifia :

— Henri, je ne pourrai pas y assister, nous partons en croisière et il n'est pas question d'annuler.

Henri ne répondit pas, car il savait que ces réunions à Davos étaient importantes et chaque fois Monsieur Marchand y allait. Il jugeait qu'on ne pouvait pas refuser d'assister à ces réunions qui traitaient des sujets graves. Alors, pourquoi refuser aujourd'hui ? La croisière attendrait, il y en aurait d'autres.

Lorsqu'il sentit que tous les participants avaient lu le contenu du dossier, le Maire se leva et…

— D'autre part, il y aura d'autres sujets à traiter et en particulier « les Prix Nobel » et là nous devons faire accepter notre demande pour Monsieur Marchand, ici présent. Vu le nombre de personnalités en lice, nous devons nous activer pour gagner cette récompense.

Sur ce, les participants se levèrent et applaudirent cette décision en regardant Monsieur Marchand. Il était coincé, il ne pouvait plus la refuser, sa croisière s'envolait et regrettait la promesse qu'il avait faite à Henri de voyager ensemble ; encore une fois, le travail l'emporterait sur les loisirs ?

Le Maire prit à part son ami Marchand et lui dit :

— Mon ami, nous sommes tous heureux de votre participation et nous allons tout faire pour que vous soyez nominé. D'autre part, je sais que avez prévu de faire une croisière, mais, pas de souci, vous serez revenu bien avant. Allez, fêtons cet événement.

Dans un autre salon, on leur offrit un apéritif dînatoire ; Monsieur Marchand fut félicité par tous les participants.

Bon, il y avait moindre mal, il irait à Davos et ferait sa croisière. Il regarda Henri en souriant.

Comme prévu, ils se retrouvèrent quelques jours plus tard et embarquèrent à Orly dans un jet privé appartenant à un des partenaires. Une heure de vol et quelques minutes de taxi pour accéder au Four Seasons Hôtel. Un hôtel cinq étoiles, surplombant le Lac Léman, emplacement situé proche de tout lieu à visiter. Des suites élégantes offrant une vue sur le lac, une cuisine soignée, un personnel disponible et très bien formé, piscine, spa…

Un excellent hôtel avec un confort et un savoir-faire exceptionnel, le luxe à l'état pur réservé à une certaine clientèle. Toutes les suites avaient été réservées sans problème aux participants du Forum de Davos.

Le Forum avait lieu dans deux jours, ce qui permit à Monsieur Borman le Maire, de commencer ses démarches de proposition. Il n'était pas le seul, toute l'équipe parisienne était à l'ouvrage en suggérant avantageusement la candidature Marchand. Pour le moment, on ne faisait que présenter la candidature de Marchand, la décision définitive se ferait au retour de Davos.

La réunion à Davos était à onze heures du matin. Ils reprirent le jet privé de très bonne heure, afin d'être à l'heure à la conférence.

À Davos, il y avait foule, entre les badauds, les touristes, les voitures arrivaient difficilement à rejoindre le congrès malgré une importante sécurité.

Le congrès commença à l'heure, et en soixante minutes, le sujet fut exposé. L'Iran s'apprêtait à utiliser l'arme nucléaire. Il fallait vite réagir, mais comment prendre la bonne décision. Chacun avançait une proposition, mais rien de positif, c'était le brouhaha complet, on décida alors de faire une pause pour se restaurer, mais surtout pour calmer l'assistance.

À treize heures, le brouhaha reprit et toujours rien de solutionner, on n'arrivait pas à s'entendre. Lorsqu'une voix demanda le silence, qu'elle eut difficilement. Il était seize heures trente, ça murmurait toujours.

— Mesdames, messieurs, le congrès est terminé.

Le silence revint progressivement.

— Une réunion extraordinaire s'est tenue ce matin aux États-Unis en présence des sept grandes puissances du monde qui viennent de décider d'appliquer un embargo total jusqu'à nouvel ordre et, si ce n'était pas suffisant, des forces militaires interviendraient rapidement.

Le silence était complet et la salle petit à petit se vidait.

À vingt heures trente, ils étaient revenus à Genève, et le surlendemain, ils se retrouvèrent au palais des congrès, avec la plupart des participants de Davos, pour les propositions aux prix Nobel.

La réunion dura moins longtemps que prévu, car tous avaient en mémoire cette radicale décision apprise à Davos. On réussit à désigner trois candidats dans chaque catégorie, pour le vote final à Stockholm, en présence du Roi de Suède.

Dans la catégorie du Prix Nobel de la Paix, ils étaient trois.

Un américain, Parker, milliardaire spécialisé en informatique, il s'était fait surtout remarquer pour avoir offert tout un système 'informatique aux écoles qui se trouvaient dans des milieux défavorisés.

Un Indien, Thakur qui prêchait la paix dans le monde ; il avait commencé dans son pays l'Inde, en créant des hospices pour éradiquer la pauvreté dans son pays.

Un français, Marchand dont on connaît sa forte participation dans le monde.

Cette proposition fut accueillie très favorablement par une grande partie de l'assistance à Genève, et Borman était très optimiste pour la nomination finale.

Le vote aurait lieu dans une semaine ; le bulletin de chaque votant devait être renvoyé, soit par la poste, soit par mail (ce qui paraissait le plus pratique).

Une date finale était fixée sur le bulletin, on pointait, on vérifiait, puis, on annonçait le vainqueur dans chaque catégorie. La remise des récompenses était attribuée plus tard à Stockholm, en présence du Roi de Suède.

Le voyage retour vers Paris ne posa aucun problème. Dans le jet privé, malgré la décision d'embargo prise par les sept puissances mondiales, tous se réjouissaient d'avoir dans les trois sélectionnés Monsieur Marchand. Il n'y avait aucun doute, il serait le vainqueur et déjà on sabrait le champagne.

Borman s'assit à côté de Marchand qui était un peu à l'écart des autres.

— Alors mon ami, tout s'est bien passé ; je pense que vos adversaires n'ont aucune chance, vous allez passer comme une lettre à la poste. Parker est trop prétentieux, Thakur n'a pas de représentation mondiale, il n'est reconnu que chez lui. Vous, vous êtes intervenu pratiquement partout sur la planète et chaque fois, pour la bonne cause. Votre élection ne sera qu'une formalité et vous l'emporterez haut la main.

Marchand était dubitatif, ça allait trop vite, hier il était chez lui à discuter sur le dossier Colombie, aujourd'hui à Genève, on le voyait gagnant d'avance…

Il fut interrompu dans ses pensées par Borman qui lui tendait une coupe de champagne apportée par une hôtesse. Une petite turbulence faillit renverser les verres, mais rapidement tout revint en ordre et Borman leva son verre, ainsi que les autres convives.

— À vous Marchand, Nobel de la Paix.

— À vous Marchand, répétèrent les autres convives et ils trinquèrent.

À Charles de Gaulle, le jet se posa à l'écart des grandes lignes. Bien sûr, on avait affaire à une autre clientèle, vol privé, accueil personnalisé. Il y avait des agents des douanes pour la forme, mais surtout une sécurité plus importante. Ils étaient une vingtaine à descendre du jet et deux fois plus de gardes du corps qui attendaient.

Après quelques formalités administratives s'en suivirent les formules de politesse et chacun retrouva son chauffeur et garde du corps.

Henri attendait et lorsqu'il vit Monsieur Marchand, il s'avança, le salua, lui prit sa mallette et ils se dirigèrent vers la voiture où le chauffeur leur ouvrit la portière.

À l'intérieur, Henri demanda comment s'était déroulé son séjour, mais en fonction des réponses, il comprit que Monsieur Marchand ne voulait pas en parler, alors il n'insista pas. C'était une de ses qualités, il savait quand son « patron » avait ou pas envie de parler, alors il se tut, jusqu'à leur arrivée à la tour Montparnasse.

Pendant le trajet, Monsieur Marchand pensa que cette conférence n'avait servi à rien ; quatre jours perdus pour solutionner un problème majeur, qui avait été réglé en une demi-journée par les hautes autorités. Moins de palabres et plus d'efficacité, on appliquait la méthode forte.

Il eut un petit sourire, car il se rappela que son conseil souhaitait intervenir en Iran. Il avait bien fait de s'opposer à ce dossier, mais tout compte fait, il ne savait pas pourquoi ses collaborateurs voulaient y aller ; par curiosité, il demanderait à sa fille.

Il s'assit au salon, à côté de son bureau, prit le dernier « OBS » qui en première page affichait un gros titre, « tout va bien dans le meilleur des mondes ». Il commençait à lire les premiers articles, lorsque Henri arriva avec un plateau, un grand verre d'eau pétillante citronnée, agrémentée de quelques feuilles de menthe, légèrement alcoolisée de cointreau, sa boisson préférée.

Il le regarda et lui dit :

— Henri, depuis mon arrivée, je n'ai pas été très bavard, je vous dois une explication. (un supérieur ne s'excuse jamais, il s'explique), approchez, je vais vous raconter.

Henri s'avança, et comme il le lui demanda, il s'assit en face de lui.

Il lui raconta ces quatre jours inutiles, du temps perdu, sachant que les décisions primordiales sont entérinées par les instances politiques.

Henri approuva et confirma que cette décision avait été divulguée par les médias hier soir.

Puis, il termina, en annonçant qu'on l'avait proposé au Nobel de la Paix et qu'il était indifférent à cette nomination.

— J'approuve cette proposition, dit Henri, vous avez toutes les chances d'être primé. La Russie, ne présentant personne, votera pour vous, et peut être aussi la Chine. Parker ne fera pas le poids contre vous. Par contre, je suis surpris de la présence de Thakur qui, il est vrai, fait beaucoup pour son pays, l'Inde, mais il est moins reconnu mondialement.

Quand a lieu le vote Monsieur ?

— En principe, le vote se fait par mail, le vote par écrit a été annulé pour plus de facilité ; quarante-huit heures après, on connaîtra les vainqueurs ; il me semble que le vote commencera mercredi prochain et se terminera le lendemain.

— Donc, vous connaîtrez le résultat avant votre départ pour la croisière.

— Vous avez pu avoir d'autres renseignements sur son déroulement.

— Le départ, toujours de Pointe-à-Pitre dans quinze jours ; la veille, nous embarquerons à Charles de Gaulle. J'ai bien reçu la brochure que vous avez dans votre courrier.

Le temps passa vite, on était à une semaine du départ.

Le vote des Prix Nobel avait été reporté de quelques jours, à la suite de l'annonce de l'embargo avec l'Iran. Un embargo dur, total, si le pays ne retirait pas son projet nucléaire. L'affaire traînait, car chacun maintenait sa position. Cette histoire devrait se régler rapidement ou alors on allait au krach mondial, et quand même, on ne pouvait pas en arriver là.

À la réunion du Conseil d'Administration, Monsieur Marchand fut accueilli par une salve d'applaudissements et de vives félicitations. Il prit la parole :

— Mesdames, Messieurs, je vous en prie, rien n'est encore acquis, attendons le vote. Toutefois, si je suis primé, je le dois aussi à vous. À vous qui m'avez suivi dans ces projets et contribuez à leur réussite. Merci encore.

Sa fille s'approcha en lui remettant un dossier, le dossier de la Colombie, il était volumineux.

— Monsieur le Président (en réunion, elle vouvoyait son père), le dossier de la Colombie. Le contrat du projet mentionne toutes les obligations entre le gouvernement colombien et les partenaires représentés par E C M. Toutes les parties concernées ont paraphé le contrat, il ne manque que votre signature pour finaliser l'opération. Ce contrat ne prenant acte qu'en fin d'année, vous avez du temps pour le lire, puis le signer ensuite.

— Je vois qu'en mon absence, vous avez bien travaillé ; je ne suis plus indispensable ; je peux donc prendre un peu de recul ; comme vous le savez, je vais faire une croisière de quelques jours et prendrai ma décision à mon retour, qui sera vraisemblablement positive.

Une fois encore, il s'en suivit des applaudissements et sur la lancée, un homme entra poussant un chariot sur lequel des coupes et des bouteilles de champagne étaient posées.

Une coupe à la main, Laetitia s'approcha de son père, et un peu à l'écart lui dit :

— Papa, la semaine prochaine, je pars pour la Colombie avec Monsieur Martin (spécialiste des affaires Amérique du Sud), et Monsieur Borman, le Maire, qui s'est invité au dernier moment, pour discuter des ultimes formalités avec le Président Méndès.

— Monsieur Borman, je le comprends, il se place : les élections l'année prochaine, ça pourrait l'aider, surtout si ce projet…

— Papa, c'est bien qu'il soit là, il représente Paris et la France aussi. Il sera un atout supplémentaire.

— J'aime bien Borman, malgré ses exubérances, mais tu verras bien.

La réunion se termina ainsi allégrement.

Feuilletant son courrier, il appela Henri, qui arriva promptement, son bureau se trouvant juste à côté.

— Monsieur m'a demandé !

— Oui, Henri ; il y a longtemps que je n'ai pas invité Madame au restaurant. Vous pourriez l'appeler pour savoir si elle est disponible.

— Bien Monsieur. Vous désirez aller où ?

— Je ne sais pas, trouvez-nous un endroit tranquille, original…

Il réfléchit et annonça.

— Vous pourriez aller dans ce restaurant, Faubourg Montmartre, celui où vous aviez amené Madame la première fois.

— Henri, c'est une excellente idée, mais pour la tranquillité…

— Le week-end, c'est bruyant, mais le jeudi, il y a moins de monde, et il sera plus facile de réserver une table. Pour vingt heures ?

— Vous ne pensez pas que c'est un peu juste pour réserver.

— Je connais le responsable de la salle. Je sais qu'il garde une ou deux tables pour les réservations de dernière minute.

— Bien, faîtes pour le mieux, mais motus à Madame.

Henri s'en retourna, avisa Madame, qui était disponible (il le savait, il connaissait son agenda), mais surprise par cette invitation inattendue, demanda à Henri les raisons de celle-ci. Avait-elle oublié un événement important, un anniversaire... il resta muet sur le sujet.

L'interphone sonna, il décrocha, leur chauffeur leur signifiait qu'il était prêt et les attendait devant l'immeuble.

Lorsqu'elle était arrivée de sa galerie d'art, Claé son épouse, s'était empressée de lui demander :

— Mathieu, où m'emmènes-tu, si soudainement ; j'ai oublié un événement important ?

— Non rien de tout ça, un peu de nostalgie ; j'avais envie d'être avec toi, ailleurs que chez nous.

— Et où allons-nous, je dois m'habiller !

— Non, tu es très bien comme ça, et tu verras... surprise.

À la sortie de l'ascenseur, le chauffeur les accompagna à la voiture et démarra aussitôt.

Au bout de quelques secondes, Claé dit :

— Tu n'as pas donné l'adresse...

— Non, Hubert sait où on va.

Effectivement, Henri avait donné tous les détails du trajet.

Comme le lui avait dit Henri, Hubert fit un grand détour avant d'arriver au restaurant. Il y avait bien longtemps qu'ils n'avaient fait une balade nocturne dans Paris.

Pendant le trajet, la conversation porta sur sa nomination au Nobel. Elle était ravie qu'on ait pensé à lui, il le méritait. On parla de l'embargo, c'était moins drôle ; on ne savait pas où on avait mis les pieds, mais il fallait intervenir, le projet nucléaire de l'Iran était une menace mondiale. Puis, il parla de son voyage avec Henri.

— J'aurais préféré que tu viennes avec moi, mais tu es toujours occupée.

— C'est vrai, mais je ne peux pas laisser tomber cette exposition ; elle est si importante pour ce jeune artiste. Tu connais mon dévouement. D'autre part, tu as bien fait de proposer ce voyage à Henri, ça lui fera le plus grand bien, mais avec toi, je me méfie, tu lui trouveras quelque chose à faire, laisse-le tranquille.

— Je l'ai inscrit comme mon filleul, il traitera une fois par jour les urgences.

Elle resta pessimiste…

— Pendant mon absence, Laetitia gérera les affaires courantes. Je pense que maintenant, elle a pris une grande assurance sur les décisions à prendre. Tu devrais voir comment elle a traité le dossier de la Colombie, le conseil la suit, je peux partir tranquille.

Claé répondit du tac au tac :

— Elle est comme sa mère !

Il ne releva pas cette remarque et continua…

— Nous n'avons toujours pas de nouvelles de Bruno ?

— Aux dernières nouvelles, il serait en Égypte à la recherche d'une nouvelle pyramide.

Enfin, ils arrivèrent au 7 Faubourg Montmartre, devant le restaurant Bouillon Chartier. Hubert ouvrit la portière à Madame, tandis que Monsieur Marchand lui dit :

— Vous pouvez disposer Hubert, je vous rappellerai pour le retour.

Elle resta un moment à regarder l'établissement qui n'avait pas beaucoup changé depuis… quarante ans. Elle fixa son mari, les yeux bleu brillant…

— C'était notre première rencontre… tu n'as pas oublié…

— Allez, viens…

À l'entrée, bien sûr, on leur demanda s'ils avaient réservé et lorsqu'il donna son nom…

— Marchand, Madame et Monsieur Marchand.

Le serveur ne regarda même pas sa liste.

— Oui, bien sûr, Madame et Monsieur Marchand, une table vous a été réservée. Suivez-moi SVP.

Ils traversèrent la salle qui était bien remplie, elle n'avait pas changée, toujours cette magnifique verrière. Ils franchirent quelques marches pour se retrouver à la mezzanine. Ils avaient une vue complète sur la salle, bien installés, un peu à l'écart et moins bruyant. Il se demanda s'ils n'étaient pas à la même table, quarante ans plus tôt. Claé fit la même remarque.

— Mathieu, c'est une belle surprise, je suis ravie d'être là.

Elle lui prit la main et l'embrassa tendrement.

C'était plein pour un jeudi ; dans la grande salle, les serveurs, nombreux, se démenaient pour satisfaire au mieux la clientèle. Les tables étaient proches les unes des autres, ce qui permettait de converser avec les voisins.

Ce n'était pas le genre d'établissement que Madame et Monsieur avaient l'habitude de fréquenter, mais là, c'était différent, un bon souvenir ; on revenait quarante ans en arrière.

À cette époque, Mathieu, qui était peu fortuné, voulait emmener Claé (qu'il avait connu à la fête de fin d'année de l'école de commerce), dans un endroit insolite et surtout dans ses moyens ; il avait une chance sur deux que ça lui plaise, car habituée aux restaurants huppés. Il se rappelle qu'elle lui avait dit :

— Pour une surprise, c'est une surprise, mais j'aime bien.

Et puis, la fin de soirée avait été passionnante.

On ne leur présenta pas la carte, car le menu avait été choisi. On leur proposa :

Un avocat sauce crevettes avec des cubes de foie gras.

Un rumsteak tranché sur un lit de pommes de terre brisées.

Un fromage de chèvre sur de la frisée.

Et pour terminer la fameuse coupe maison chantilly.

Elle sourit, car c'était le même menu que la première fois.

— Sacré Henri, même ça il avait…

— Ce garçon est extraordinaire dit Claé.

Le repas terminé, il donna un coup de fil et la voiture attendait devant l'établissement. Hubert conduisait lentement, très lentement. Ils passèrent devant la Place blanche, le Moulin Rouge, la Basilique du Sacré-Cœur, l'Amphithéâtre, les arènes, l'église Saint-Pierre, puis la place du Tertre. La voiture s'arrêta.

— C'est bien, Hubert, nous allons marcher un peu, puis vous nous reprendrez un peu plus tard, je vous rappellerai.

— Bien Monsieur, je vous retrouverai au même endroit.

Ils déambulèrent à travers les petites rues et arrivèrent sur les marches du Sacré-Cœur. Ils s'assirent à même le sol et contemplèrent la vue magnifique de Paris. Ils n'étaient pas seuls, beaucoup de jeunes couples s'embrassaient. Au milieu de cette jeunesse nocturne, ils ne se sentaient pas désorientés, car même s'il y avait moins d'amour physique, il y avait beaucoup plus de complicité.

Il était minuit, la fraîcheur était tombée et bien que Claé soit entourée par les bras de Mathieu, elle avait froid. Il s'en aperçut et il appela Hubert qui ne répondit pas.

Ils allèrent à sa rencontre vers l'impasse convenue. Arrivés, pas de voiture, ce n'était pas dans les habitudes d'Hubert, qui était toujours ponctuel.

Mais une petite voiture apparut, une 2 CV, qui s'arrêta devant eux et une voix s'écria :

— Besoin d'une voiture, Messieurs dames.

Mathieu était estomaqué, c'est pas possible, Henri n'a pas fait ça.

Claé éclata de rire, elle n'en revenait pas non plus.

Les deux anciens partenaires de Mathieu descendirent de voiture.

— Eh ! Oui, c'est bien nous, Mathieu.

Michel et Jean empoignèrent chaleureusement Mathieu, puis embrassèrent Claé.

Il y avait bien une dizaine d'années qu'ils ne s'étaient pas vus, ils n'avaient pas beaucoup changé. Un peu d'embonpoint ; Michel avait blanchi et Jean avait perdu pas mal de cheveux. Après quelques banalités, Michel demanda :

— On vous emmène où ?

C'est Claé qui répondit :

— On va à la maison, quartier Vaugirard. Et donna l'adresse exacte.

Jean répondit timidement :

— Vous pensez qu'on peut vous raccompagner dans le 6° en 2 CV ?

— Aucun problème, dit-elle.

Un certain temps après, car on ne roulait pas très vite, et pour cause, quatre dans une 2 CV, on se traînait. Ils arrivèrent enfin et Claé les invita à boire un dernier verre.

Mathieu ouvrit une bouteille de champagne pour fêter les retrouvailles et bon an mal an, il était plus de deux heures du matin ; il était temps de rentrer pour les amis. Claé leur fit promettre de revenir pour un repas plus convivial.

Seuls dans le salon, ils reprirent une dernière coupe, Claé embrassa Mathieu sur la joue et lui dit :

— Merci, mon chéri, c'était une belle soirée, inattendue, pleine de bons souvenirs.

C'est elle qui l'emmena dans la chambre, l'embrassa de nouveau, et commença à le déshabiller... la soirée n'était pas terminée.

Le lendemain, on était vendredi, jour du poisson comme disaient ses parents ; il avait pris l'habitude depuis quelques semaines d'aller à Rungis.

Hubert, son chauffeur, par un heureux hasard lui avait présenté Pelissier, un camarade d'enfance, qui était responsable du marché aux poissons à Rungis. Ils mangeaient ensemble presque tous les vendredis vers treize heures ; chaque fois, un poisson différent que Pelissier, avec une anecdote amusante, indiquait sa provenance.

On ne dérogea pas à la tradition ; Hubert attendait son patron, et exceptionnellement était en retard ; et pour cause, la nuit avait été courte, il n'avait plus vingt ans et Claé avait eu le don de réveiller en lui des ardeurs qu'il croyait avoir perdues. Malgré les soixante-dix ans passés, il était toujours amoureux de sa femme, cette femme qui partageait sa vie depuis longtemps et qui la surprenait chaque fois.

Il était presque onze heures, lorsqu'il monta dans la voiture ; il y avait une bonne heure de route jusqu'à Rungis, et cette fois, il n'aurait pas le temps de déambuler dans les allées et s'arrêter pour demander le nom d'un poisson qu'il n'avait jamais vu. Il était toujours étonné de voir autant de stands, avec sa quantité de poissons, et qui en fin de matinée étaient vides ; impressionnant ce remue-ménage.

Au bout de l'allée, Pelissier était en grande conversation avec un mareyeur, dans la zone des crustacés. Lorsqu'il vit Monsieur Marchand et Hubert, il s'approcha et leur dit :

— Aujourd'hui, c'est moi qui invite, on va se faire un plateau de crustacés, accompagné d'un muscadet, vous m'en direz des nouvelles.

Effectivement, c'était délicieux : des huîtres de Normandie, des crevettes roses, des coques, des palourdes, des moules, des bigorneaux et au centre du plateau, une langouste qui paraissait vivante tellement qu'elle était fraîche. Le repas se termina par une glace aux fruits de saison.

Seize heures, il était temps de rentrer. Pélissier prit congé en leur disant :

— La semaine prochaine, on a un arrivage de morue ; chez Paul, il la prépare à la portugaise.

— Je serai absent pendant deux semaines, on se reverra à mon retour.

— Dommage, vous allez manquer quelque chose de... succulent.

Sur le chemin du retour, Marchand appela Henri.

— Rien de nouveau ?

— Monsieur, tout va bien, rien d'urgent dans le courrier, ça peut attendre lundi. Vous pouvez rentrer chez vous.

Marchand avait oublié que, depuis un mois, il lui avait accordé le vendredi après-midi (comme le reste du personnel) ; ceux qui restaient faisaient acte de présence.

— Hubert, changement de programme, on rentre à la maison.

Chez lui, il trouva Claé qui se préparait pour aller à sa galerie et lui dit :

— Ah ! Tu es déjà là. Dis à Hubert de ne pas rentrer la voiture, je vais en profiter. Et puis, tu pourrais m'accompagner. Tu visiteras ma nouvelle galerie et tu me donneras ton opinion sur l'exposition. J'aimerais avoir ton avis.

Il n'était pas très emballé, mais il ne pouvait pas refuser, elle avait ce don de persuasion.

Hubert s'en était douté, il n'avait pas rentré tout de suite la voiture au garage ; et avait attendu quelques instants.

Lorsqu'il reçut le coup de fil de son patron, il anticipa et dit :

— La voiture est devant, je vous attends.

— Bien, Hubert nous arrivons.

Ils repartirent, direction la galerie de Madame, au centre-ville. La visite ne dura pas longtemps, tout était abstrait et il n'aimait pas ; il considérait que cet art n'était pas réel. Mais sûrement avait-il tort, car aujourd'hui, au vingt et unième siècle, cet art avait pris une grande ampleur. L'abstraction recherche l'émotion par la forme et la couleur sans recourir à la représentation ou à l'évocation de la réalité.

Il décida d'aller boire un café dans la brasserie en face, ce qui déplut à son épouse, qui lui fit remarquer :

— « Tu es inculte aux arts nouveaux. » Elle rejoignit un groupe de visiteurs pour leur commenter l'exposition.

Lundi matin, à la tour Montparnasse, il pensait être le premier arrivé à l'entreprise, il se trompait ; Henri était déjà là, avait tiré les rideaux des baies vitrées ce qui donnait une grande luminosité ; c'était ce qu'il aimait le plus, cette vue panoramique de Paris et par temps clair, comme aujourd'hui, il voyait la tour Eiffel. Il s'attarda un moment, voir Paris s'animer, mais il fut interrompu par Henri :

— Bonjour Monsieur, vous avez passé un bon week-end ?

— Parfait Henri, la soirée de jeudi a été inattendue, nous avons bien aimé la visite surprise de mes anciens collègues, je vous remercie pour cette idée originale. Vendredi, aux Halles à Rungis, où nous avons dégusté un plateau de crustacés... délicieux. Vous avez déjà mangé aux Halles Henri ?

— Non, Monsieur, on ne pas y aller comme ça.

— La prochaine fois, je vous y amènerai.

Il ne savait pas pourquoi il se confiait autant à Henri. Il était devenu plus que son majordome, il avait une entière confiance, ils se connaissaient si bien qu'Henri souvent, anticipait ses décisions, ce qui lui faisait gagner énormément de temps.

Maintenant, à son âge, sa fille qui prenait les rênes de la société avec bonheur et Henri qui l'aidait dans certaines circonstances, il était rassuré et satisfait de la tournure que ça prenait.

Henri, lui rappela que jeudi, ils embarquaient pour Pointe-à-Pitre. Alors, il activa ses priorités, mardi réunion de l'assemblée générale, mercredi, dernières instructions à sa fille avant le départ. Tout était en ordre, il pouvait partir tranquille.

Jeudi, le départ était prévu à onze heures cinquante. C'était bien, pas trop tôt ; mais un peu difficile avec neuf heures de vol ; avec le décalage, ils arrivaient le même jour, vers quinze heures trente.

Ils auraient le temps de rejoindre le « Sud América » ; l'embarquement commençait à dix-huit heures.

C'est vers huit heures du matin qu'Hubert passa prendre son patron et Henri au bas de l'immeuble. Il leur fallut une bonne heure pour arriver à Charles de Gaulle. Les formalités furent rapides, car tout avait été planifié.

Il y eut, un peu de retard sur l'horaire, merci Air France. Leurs places réservées en Classe Premium leur permettaient d'avoir plus d'espace, plus de confort, vu la durée du trajet, ce n'était pas négligeable.

Le voyage se déroula sans encombre, ils arrivèrent à l'heure, le pilote ayant rattrapé le retard.

Une navette, qui attendait, les amena sur le quai d'embarquement. Le chauffeur de la navette qui avait chargé leurs bagages s'occupa de les apporter à bord, jusqu'à leurs cabines.

Avant de monter sur le « Sud América », on les installa dans un salon près de l'embarcadère et on leur proposa une collation bien appréciée, du champagne et des petits fours, mais aussi d'autres boissons rafraîchissantes.

Ils n'étaient pas seuls, il y avait du monde, que du beau monde. Bien qu'il ait l'habitude des mondanités, Henri ne se sentait pas très à l'aise. Monsieur Marchand s'en aperçut, il le prit par l'épaule et lui dit :

— Henri, n'oubliez pas, vous êtes mon filleul.

Ça voulait tout dire, qu'il fallait tenir son rang.

Le Sud América n'était pas un grand navire, de taille raisonnable, deux cents mètres de long, largeur quarante mètres, hauteur cinquante, vitesse vingt-deux nœuds. Il y avait environ cinq cents cabines, mais des suites avec balcon et tout le confort possible. Un restaurant principal et deux autres à spécialités. Fitness et relaxation, boutiques, casino, discothèque, théâtre, salle de conférence : tout était prévu.

Il fallut bien deux heures pour embarquer et rejoindre leur cabine respective. Un des membres de l'équipage les accompagna, leur donna les consignes générales et leur rappela que ce soir, le repas serait en libre-service à partir de vingt heures. On les attendrait dans le hall pour les diriger vers le restaurant. Ils avaient le temps de se préparer.

La suite était spacieuse avec tout le confort possible. La première chose qu'Henri fit, il ouvrit le balcon, se remplit les yeux de cette vue magnifique qu'il avait devant lui. Il se demanda si c'était possible, il n'en revenait pas d'être là.

Le bruit des machines le ramena à la réalité ; on allait naviguer de nuit.

Il avait une heure pour se préparer, prit une douche, s'habilla légèrement et sortit ; il frappa à la porte de Monsieur Marchand comme il le lui avait demandé.

La porte s'ouvrit, c'est à croire qu'il était derrière à l'attendre.

— On peut y aller, Henri, dit-il.

Il avait mis un costume clair en tweed, une chemise blanche, un foulard en soie autour du cou, la classe.

On les attendait au bout du couloir et une hôtesse les guida jusqu'au restaurant. Une immense salle, divisée en compartiments par des paravents qui préservaient une certaine intimité.

Ce premier repas était sobre, mais bien élaboré, présentation impeccable, presque raffinée. On ne devait pas s'attarder, car une réunion sur le déroulement de la croisière était prévue dans divers salons.

Dans chacun se trouvait un petit groupe de personnes et se présenta Aurélie qui serait leur interlocutrice tout le long du voyage.

Elle leur souhaita la bienvenue et leur signala que le Commandant dînerait à leur table demain soir.

Puis, elle leur exposa brièvement le déroulement du voyage et chaque soir, elle détaillerait le programme du lendemain.

Effectivement pour le jour suivant, il était prévu une journée détente à Antigua-et-Barbuda. Le matin, visite de St John et circuit touristique de l'île. Repas sur une des plages paradisiaques, puis farniente et retour au bateau.

On s'attarda encore un peu à poser des questions, mais bien vite, les gens se retirèrent dans leur cabine. Cette journée avait été longue et fatigante pour la plupart qui venait de loin, et chacun aspirait à une bonne nuit, surtout que le lendemain, on devait se lever de bonne heure. Bien que la visite du matin s'annonçât enrichissante historiquement, tous se voyaient, l'après-midi, les pieds dans l'eau dans cette mer des Caraïbes.

Tout se déroula comme prévu pour ceux qui avaient opté pour les visites. Pour Monsieur Marchand et Henri, formule tout compris, on ne s'occupe de rien, on se laisse guider, c'est parfait, des vacances de rêve. Henri n'était pas habitué :

— Henri, cool, profitez, laissez-vous aller.

Donc, visite de St. John's, tour de l'île en mini-bus, ils n'étaient qu'une douzaine de personnes, puis arrêt sur une plage pour déjeuner. Une magnifique plage de sable blanc et une eau turquoise.

Après une baignade, Monsieur Marchand s'installa sur un transat, chapeau de paille sur la tête et s'endormit, comme tant d'autres.

Henri, avec d'autres participants, s'accorda une visite des fonds marins.

La fin de journée arriva très vite et en chaloupe, ils retournèrent au navire.

La grande salle était toujours compartimentée et ils prirent place au même endroit que la veille. Sauf que les tables avaient été rapprochées pour n'en former qu'une, puisque le Commandant partageait leur repas.

Avant qu'il n'arrive, Aurélie, l'hôtesse, leur donna le programme du jour suivant : visite des Isles Vierges britanniques…

Le Commandant s'installa parmi les invités pour participer aux conversations. Monsieur Marchand avait été placé à sa droite, Henri un peu plus loin. Après les présentations de bienvenue, on leur servit le cocktail de la croisière.

À table, il n'y avait que du beau monde.

Tanaka, célèbre médecin japonais, spécialisé en ophtalmologie.

Pétrovich, chirurgien, reconnu par ses nombreuses interventions en chirurgie vasculaire.

Brown, l'américain de Seattle, informaticien, créateur de plusieurs programmes en électronique.

Nathalie Magne, l'écrivaine française qui avait remporté de nombreux concours littéraires.

Magie Walter de Londres, journaliste au Times, reconnue, elle aussi, pour ses reportages très personnels.

Et d'autres…

Lorsque le tour de table arriva à Henri, il se trouva gêné, il hésitait…

— Je…

Monsieur Marchand le sauva.

— C'est mon filleul et il m'accompagne.

La personne qui se trouvait à sa gauche, une belle femme, Chinoise, princesse de la province de Sichuan, qui défendait la cause des pandas, s'approcha et lui dit doucement en un parfait français :

— Votre filleul, ça ne veut rien dire, vous n'avez pas tourné la veste…

— Madame, j'aime mon épouse, et depuis quarante ans que nous sommes ensemble, ça n'a pas changé.

Elle se détourna un peu confuse.

Les discussions allaient bon train, surtout autour de la croisière, on restait poli.

Le lendemain, ils débarquèrent à Road Town la capitale de l'île de Tortola, visite du mont Sage, puis de la distillerie Callwood rum pour se mettre en appétit. Déjeuner sur la plage de Baths de l'île de Virgin Gorda. Dans l'après-midi, Henri s'en donna à cœur joie à nager et plonger avec tuba et explorer cette zone d'une beauté naturelle époustouflante. Un paradis aquatique. La nuit tombant vers dix-huit heures, une heure avant, on préparait le retour vers le bateau.

À bord, on leur offrit un rafraîchissement exotique. Un Pain Killer (coco, ananas et orange sur un lit de glace), puis, on les invita à se préparer, car ce soir, était prévu la première conférence intitulée « savoir donner ».

Avant le repas, Aurélie leur présenta le programme du lendemain.

— Demain, une journée en mer, car nous nous dirigerons vers Les Bahamas où nous y serons le surlendemain. Demain sera une journée de détente à bord. Vous pourrez profiter de notre espace thermal avec sauna, des cours de fitness, ou vous initier au sport de votre choix. Une visite commentée du Sud América est prévue aussi, qui se terminera au poste de pilotage. Une journée différente, mais bien remplie.

On leur proposa une nouvelle boisson exotique, mais aromatisée au rhum, accompagnée de petits canapés. Plusieurs tables de huit étaient installées ; on leur servit le repas plus rapidement (conférence oblige). Ce fut un repas très fin à base de poissons et crustacés pour se terminer par des glaces ou des sorbets.

Henri se trouvait à une autre table, entre deux femmes plus âgées ; tous parlaient, riaient ; il paraissait à l'aise : c'est ce que pensa Monsieur Marchand.

Le repas terminé, ils firent quelques pas dans le salon, puis vers la salle de conférence.

Cinq conférenciers, trois femmes et deux hommes.

On commença par dire : « un don est difficile à faire, car il peut susciter l'amour ou la haine, c'est quelque chose qui s'apprend et se cultive tout au long de l'année. »

Et voilà, on avait tout dit.

La conférence dura plus deux heures, car les participants posaient beaucoup de questions et se termina par la demande d'un don pour lutter contre la maltraitance humaine.

Monsieur Marchand, n'était pas intervenu au débat, mais avait seulement écouté, se disait qu'il avait perdu son temps, car donner, il savait le faire, depuis cinquante ans.

Le lendemain comme prévu, ils étaient en haute mer, rien à l'horizon, de l'eau, l'océan à perte de vue. Ils étaient montés tout en haut du « Sud Amèrica » et c'est là qu'ils appréciaient, cette calme immensité d'un bleu turquoise. Ils avaient suivi « la piste des visites » qui les amena à toutes les activités sportives, piscine, salle de fitness et relaxation et même un mini-golf.

Il faisait chaud et Henri décida de faire quelques longueurs à la piscine, pendant que, Monsieur Marchand s'était allongé sur un transat, chapeau de paille et lunettes noires ; il s'assoupit un certain temps. Une sirène le réveilla, qui annonçait l'ouverture des salles de restaurant.

Aujourd'hui midi, c'était libre-service : ils choisirent la pizzeria, car l'endroit s'ouvrait sur une vue splendide ; un Pizzaïolo extraordinaire faisait le spectacle. Il manipulait la pâte à pizza en vol et en musique. On les installa à une table, bien située, panorama 360°.

On leur servit une imposante pizza maison, La déliciosa, spécialité de la croisière. On leur proposa un chianti rouge. Ils terminèrent par le dessert traditionnel, Affogoto al café, un café italien avec de la glace à la vanille. Ils restèrent un moment, sans parler, à savourer ce moment puis :

— Je ne me rappelais pas que c'était si agréable de se retrouver dans un endroit aussi calme et si loin de la vie parisienne. Je regrette que Claé n'ait pas pu se libérer ; elle aurait beaucoup apprécié, visites, détente… c'était parfait pour elle. Henri, vous avez eu des nouvelles de Paris !

— Ce soir, j'en aurai, car avec le décalage horaire, ce n'est pas facile.

Après une mini pause transat sur la terrasse, Monsieur Marchand souhaita faire la visite commentée du navire. Henri profita des installations sportives et aussi de la piscine. Ils devaient se retrouver plus tard, au salon bleu, avec ses apéritifs servis avant le repas du soir.

On n'avait pas besoin de montre, lorsque le soleil commençait à décliner, il était près de dix-huit heures. Malgré la chaleur agréable et l'eau de la piscine, Henri quitta ce lieu, pour sa cabine et tenta un appel vidéo vers Paris, mais aucune réponse.

Il est vrai qu'il était plus de minuit là-bas. Il laissa un message et attendit le lendemain pour la réponse.

Au salon bleu, toutes les personnes, avec qui Monsieur Marchand avait lié connaissance étaient là. Tanaka l'ophtalmologue, Pétrovich le chirurgien, Brown l'informaticien, Magne l'écrivaine, Walter la journaliste et d'autres.

Henri, trouva tout ce beau monde en grande discussion, parlant haut et fort, éclatant de rire… la boisson aidant !

Le repas fut servi un peu plus tard que d'habitude, car on s'était attardé davantage au salon bleu.

23 heures, ils étaient toujours à table : après un avocat aux crevettes, suivi d'une parillade de poissons arrosée d'un muscadet, et pour finir un plateau de fruits caramélisés.

Pétrovich, dans un élan de générosité, lança :

— Je vous invite à la discothèque, c'est moi qui régale.

Il ne se mouillait pas trop, puisque tout était inclus, mais c'est le geste qui compte. Et tous le suivirent au niveau inférieur, là où se trouvait la discothèque. Il n'y avait pas beaucoup de monde, peut-être à cause de la journée chargée du lendemain aux Bahamas.

À peine assis, Pétrovich, commanda pour tout le monde une wodka bien glacée, et les conversations continuèrent de plus belle. Chacun vantant, avec enthousiasme, les alcools de leur pays respectif. Ça commençait à dégénérer un peu.

Monsieur Marchand, qui était assis un peu à l'écart, vit arriver de jeunes filles légèrement vêtues, des hôtesses d'une nuit, et l'une d'elles s'approcha un peu trop langoureusement.

— Jeune fille, je suis trop vieux pour ce jeu-là, vous voyez le jeune homme au comptoir, allez lui tenir compagnie.

Elle se leva, vexée, et se dirigea vers le comptoir, en direction d'Henri.

Le lendemain matin, le Sud América avait accosté de bonne heure à Nassau, Capitale des Bahamas.

Henri avait peu dormi, car il avait été réveillé une première fois par le bip/bip de son ordinateur et une deuxième par la corne annonçant l'arrivée à Nassau. Il lut le message que Laetitia lui avait transmis.

— Nous avons récupéré un nouveau dossier à traiter avec l'Afrique, nous attendons votre retour pour l'exposer à Papa. Le reste suit son cours. Le Président Méndes doit confirmer notre visite la semaine prochaine en Colombie. Monsieur le Maire précise qu'il y a eu un pré-vote pour l'attribution du Nobel et Papa obtiendrait plus de soixante pour cent des voix. Le résultat définitif aura lieu demain. Bonne Croisière, à demain.

Au petit déjeuner, Henri donna toutes ces informations à Monsieur Marchand.

— Il ne faut pas ébruiter cette nouvelle, ce n'est pas encore fait.

— Monsieur, soixante pour cent, on peut considérer que le résultat est acquis, il sera difficile de le cacher, car dès qu'il sera annoncé, vous ferez la une des médias.

— Bon, restons discrets le plus possible.

Ils descendirent à Nassau en chaloupe, pour une très belle visite, le complexe extraordinaire d'Atlantis. Un site archéologique et un lagon avaient été reconstitués, où l'on pouvait contempler les poissons les plus voraces, tels que

Baracudas et requins, entre autres. Une visite commentée par des experts qui racontaient la légende de l'Atlantide. Un rêve, quoi.

Le déjeuner fut servi à l'intérieur du site, au milieu des aquariums. Défilaient, au-dessus de leurs têtes, toutes sortes de poissons, ainsi que sur les côtés. On se croyait à l'intérieur, c'était un peu oppressant, mais ce déplacement de poissons exotiques donnait un certain charme à ce site.

La journée avait été instructive, reposante au milieu de tous ces aquariums. Dix-sept heures, on rentra à bord, en chaloupe comme d'habitude.

Au salon bleu, on ne parlait que de Paradise Island, cet immense complexe, une série d'hôtels, parc d'attractions et décors sur le thème de la mer, des fonds marins et des créatures qui les peuplent.

Vraiment grandiose, une association de Disneyland et de Waterworld.

Tellement grand, qu'une journée ne suffisait pas à tout voir, mais on apprécia l'essentiel, avec une envie d'y revenir. Tout le monde avait aimé la pause déjeuner dans cet espace entouré de la faune marine ; on pouvait se croire dans le sous-marin du Capitaine Némo.

Aurélie, notre hôtesse, désolée de nous interrompre, nous demanda de nous diriger vers le restaurant pour nous exposer le programme du lendemain.

— Visite de La Havane, encore une journée bien remplie : c'est une ville pleine d'histoire.

Un des chefs de cuisine arriva et avec humour :

— Nous avons pensé que ce soir, du poisson au menu serait déplacé avec toute cette faune aquatique visitée, alors nous avons préparé un canard laqué caramélisé au miel accompagné de petits légumes.

Il avait été désossé, puis reconstitué pour être servi tranché, une véritable prouesse. Tanaka apprécia.

Ce fut un régal, les petits légumes finement coupés façon julienne, accompagnaient parfaitement ce plat. Un délice.

Depuis le début de la croisière, aucun fromage, étonnant.

Puis, le dessert, une superbe omelette norvégienne flambée au dernier moment. Ça sentait le Rhum, bien sûr l'alcool local…

Aurélie arriva, rappelant qu'à dix heures, ils assistaient à une représentation du Cirque du Soleil. Elle les accompagna jusqu'au théâtre et leur souhaita une bonne soirée. Une autre hôtesse les installa sans difficulté à leurs places réservées.

Syma était le nom du spectacle, l'histoire d'un jeune marin à la recherche de son île imaginaire. C'était d'actualité. Des acteurs extraordinaires dans leurs prouesses acrobatiques.

On débarqua à La Havane, capitale de Cuba : surprenante l'architecture coloniale et voitures d'un autre temps.

On visita la ville à pied, la Place d'armes, le musée, l'ancien Palais des Capitaines généraux, la place de la Cathédrale. Puis, tour panoramique de la Havane moderne en vieille voiture « Us Vintage » pour arriver vers la place de la Libération.

Déjeuner, à Cienfuegos, la perle du sud, avec au menu, une langouste grillée par personne. Reprise du circuit, direction Santa Clara, la ville de Che Guevara et pour terminer la visite de la fabrique de cigares Constantino Perez Carrodegua. Enfin retour interminable par le lagon de Varadero.

Sur les chaloupes, silence, la journée avait été bien remplie et on ne souhaitait qu'une chose, une bonne douche et une pause bien méritée au salon bleu.

Le salon n'avait jamais été aussi calme. Assis dans les fauteuils, un verre à la main quand même, on discutait calmement. Quand Henri arriva, il fit signe à Monsieur Marchand, qui bavardait avec Walter la journaliste anglaise et Magne l'écrivaine française ; il s'excusa et se leva :

— Monsieur, j'ai reçu un message de Laetitia, elle vous félicite pour votre nomination, vous avez obtenu 63 % des voix, Parker 23 %, et Thakur 14 %. Je vous félicite Monsieur.

— Bien, c'est maintenant que les difficultés commencent, on s'en tient à ce qu'on a dit.

— D'autre part, l'attribution des prix aura lieu le mois prochain à Stockholm, en présence du Roi de Suède.

— Henri, on en profitera pour visiter ces régions nordiques, que je connais peu.

— Monsieur, la présence de votre épouse et de votre fille est indispensable pour la cérémonie.

— Vous y participerez aussi.

— Je devrai assurer la permanence à Paris.

Aurélie arriva un peu plus tard, comprenant que la journée avait été très fatigante, les laissa souffler un peu… surtout un verre de plus.

— Demain, nous débarquerons à Cuzumel (Mexique), visite des ruines Mayas et un déjeuner-débat sur place, votre deuxième conférence « sauvons la Planète ».

Vaste débat…

À table, Monsieur Marchand avait l'impression que tout le monde le regardait, un petit sourire au coin des lèvres, que tous savaient pour sa nomination. Il se sentit un peu gêné, il n'avait pas l'habitude de se cacher… mais là, c'était différent, il ne voulait pas se mettre en avant… et puis, on verra bien.

La soirée se termina au bar et comme c'était son tour, il proposa du Champagne français, leva son verre en direction d'Henri (avec un clin d'œil plein de malice). Henri murmura « à votre Nobel, Monsieur Marchand ».

Débarquement à Cozumel de bonne heure, il était sept heures du matin et pour cause, trois heures de route pour aller à Chichén Itzá. Tout compte fait, on ne s'ennuya pas, car le guide avec ses histoires drôles, ses commentaires sur l'histoire des Mayas, enthousiasma les voyageurs. Les vidéos sur les écrans complétaient ses dires.

Arrivés devant cette pyramide, tous étaient impressionnés, Chichén Itzá, construction Maya, la cité la plus célèbre du Yucatan. La visite fut complète et bien commentée.

On reprit le bus direction Valladolid pour le déjeuner dans une hacienda. C'est ici qu'avait été prévue la deuxième conférence.

Les tables installées en demi-cercles, sur plusieurs étages, faisaient face à une estrade où devaient s'installer les interlocuteurs.

D'entrée, une Téquila frappée, ça commençait bien. On leur amena l'incontournable guacamole pimenté (avocat écrasé mélangé avec oignons et tomates, citron et sauce extra piquante). Après ça, la Téquila passait très bien.

Et c'est à ce moment-là que le débat commença, « Sauvons la Planète ».

Ça partait dans tous les sens. Tout le monde parlait en même temps. Chacun avait son idée à faire valoir et on n'arrivait à rien dans ce brouhaha, même les interlocuteurs ne parvenaient pas à reprendre la direction du débat. Puis ça se calma, lorsque le chef cuisinier amena le célèbre « Chili con Carne » avec ses tortillas mexicaines. Et encore la Téquila traditionnelle.

La pause ne dura pas longtemps ; le débat reprit aussi mouvementé. Tout le monde voulait sauver son jardin personnel, sans que personne ne vienne empiéter dessus.

Chacun voulait quand même aider, avec l'argent des autres. Les pays sous-développés doivent être aidés différemment. Les dons ne servent à rien, ils profitent au gouvernement en place qui souvent appauvrit davantage le peuple. On doit aider ces pays en leur apportant d'autres moyens pour se développer.

Henri qui écoutait religieusement, se disait, qu'il y a longtemps que E C M (Expertise en Communication Marchand) appliquait ce concept. Mais ce n'était pas suffisant, car la plupart cherchaient avant tout son intérêt personnel.

Un homme, un campèsino, s'approcha de la table de Marchand et l'interpella à voix basse :

— Monsieur Marchand, des personnes veulent vous parler.

Surpris par son accent hispanique, il ne répondit pas.

— S V P, Monsieur, il s'agit de votre fille.

Là, il se retourna, regarda cet homme en blanc, un sombrero dans ses mains qui lui souriait.

— Venez, Monsieur, suivez-moi.

Le brouhaha continuait, certains se levaient pour demander la parole, on ne s'entendait plus. Monsieur Marchand se leva et suivit l'homme qui l'emmena quelques mètres plus loin, à l'abri des regards.

Il se retrouva en présence de deux personnages élégants, des Sud-Américains, pas très commodes, affichant un regard froid. Le premier prit la parole :

— Monsieur Marchand, nous connaissons votre ferveur pour les causes humanitaires, ceci vous honore, mais certaines doivent être ignorées. Nous représentons les Cartels en Colombie et nous vous demandons d'annuler toute coopération avec le Président Mendes.

Il les regarda, il avait affaire à deux sicarios mandatés par les cartels et bien qu'ils soient restés polis, ils ne plaisantaient pas.

Il ne se démonta et leur répondit :

— Messieurs, je ne peux pas. Premièrement, je n'ai pas l'habitude de me désengager dans une affaire sans motif apparent. Deuxièmement, cette affaire ne me concerne plus, c'est ma fille qui couvre cette opération.

— Justement, Monsieur Marchand, nous savons que votre fille sera reçue en fin de semaine par le Président Mendes... il est fort possible qu'elle n'assiste pas à cette réunion.

On le menaçait, on s'attaquait à sa fille et ça, il n'aimait pas, il allait répondre lorsque le deuxième sicarios lui dit :

— Vous avez quarante-huit heures pour nous donner votre réponse, pensez à votre fille. On se retrouvera à Carthagène, votre dernière escale.

Le temps qu'il réagisse, ils avaient disparu, il avait beau regarder à droite, à gauche, personne. Ils s'étaient volatilisés, c'est à croire qu'il avait rêvé.

Il y eut une accalmie et on en profita pour servir le dessert, les fameux Flans mexicains. Les gens s'étaient assis et Henri chercha du regard Monsieur Marchand ; il n'était pas là ; mais quelques instants plus tard, il le vit arriver, sorti de nulle part, la tête baissée, l'air soucieux, étrange.

Le déjeuner débat se termina sans aucune avancée, chacun resta sur ses positions.

Sur le chemin du retour, on fit la découverte du Cénote, puits d'eau douce considéré par les Mayas comme un lieu sacré, la baignade fut fortement appréciée.

Il était presque dix-huit heures ; encore une heure de route pour embarquer. Henri en profita pour demander à Monsieur Marchand ce qui n'allait pas, car depuis qu'il était à son service, il savait…

Monsieur Marchand n'hésita pas, lui fit le récit de cette entrevue ; Henri l'écouta sans l'interrompre, puis d'emblée dit à son patron :

— Monsieur, j'envoie un message à Laetitia pour une vidéo ce soir, et on avisera.

Heureux de se retrouver sur le Sud América, la journée ayant été pesante, ils s'installèrent au salon bleu comme d'habitude. Un moment agréable en sirotant le cocktail de la croisière.

Aurélie arriva et leur annonça que demain, ça serait cool, balade à travers la forêt tropicale, rivières, cascades, à Ocho Rios (Jamaïque), et ce soir repas écologique : légumes différemment cuisinés, plateau de fromages et vin d'Alsace, puis corbeille de fruits exotiques. Ils terminèrent la soirée au salon bleu, plus calme qu'à la discothèque, en attendant vingt-trois heures, le rendez-vous avec Laetitia.

Après un dernier digestif, ils montèrent dans leurs chambres ; (il était cinq heures du matin à Paris).

Henri brancha l'ordinateur, puis la vidéo. Il attendait le retour. Ça sonnait, mais pas de réponse ; il fallait patienter.

Monsieur Marchand commençait à fermer les yeux.

Vingt-trois heures quinze, enfin, une sonnerie, puis l'image, Laetitia apparut à l'écran.

— Bonjour Laetitia, je vous passe votre père.

Il s'avança, mais c'est elle qui prit la parole.

— Bonjour Papa. Ici, tout va bien, ne te fais pas de souci. Ah ! Si, je devais partir en fin de semaine à Bogota et hier, le Président Méndes a demandé de reporter le rendez-vous. J'ai cru comprendre qu'il y avait quelques problèmes avec l'opposition.

Monsieur Marchand regarda Henri, étonné par cette explication.

— Papa, pourquoi m'appelles-tu, as-tu un problème ?

— Non, non ma fille, je souhaitais savoir si tu t'en sortais bien, c'est parfait, je suis content du report de ton voyage, je pourrai t'accompagner.

Ils échangèrent ensuite des banalités, puis raccrochèrent. Il était minuit ici, six heures du matin à Paris.

Monsieur Marchand était satisfait de ce report ; quelque chose clochait cependant : si c'était hier que Mendes avait reporté, pourquoi ceux de cet après-midi ne le savaient pas. Sachant que les cartels avaient toujours des renseignements fiables, livrés par des fonctionnaires corrompus bizarres…

— Monsieur, ils n'ont pas été avertis… ou alors, nous avons affaire à une bande de malfrats en quête de rançon. Mais, étrange, ils savaient que votre fille allait rencontrer le Président Méndes à Bogota en fin de semaine. Ils sont bien informés, il faut être prudent…

— Je pense qu'ils ne se manifesteront pas à Carthagène, lorsqu'ils sauront.

— C'est possible Monsieur, mais à Carthagène, je vous accompagnerai, ou du moins, je ne serai pas loin de vous.

On en resta là et ils allèrent se coucher.

Le lendemain : La Jamaïque, débarquement à Ocho Rios, ville portuaire, ancien village de pêcheurs et proche de Saint Ann qui abrite aussi une forêt tropicale, des rivières, des cascades. Il avait été prévu une exploration de la campagne à cheval, une balade dans les eaux des Caraïbes ou une exploration sous-marine. La plupart choisirent la balade à cheval en campagne et sur mer.

Le déjeuner s'était effectué sur la plage, un grand feu avait été allumé et une bonne odeur montait. On préparait une friture de bananes plantains, puis des Akée et Morue ; (le Akée est un arbre d'origine africaine, son fruit est potentiellement toxique, mais les Jamaïcains savent le cuisiner.) En dessert, des mangues et des pommes otakeite.

En fin de journée, on les ramena au ponton pour l'embarquement.

Toujours au salon bleu, dans l'attente du repas. Mais étrange, les barmans n'étaient pas là, personne pour servir.

Au bout d'un moment, Aurélie arriva et annonça :

Mesdames, Messieurs : Le Commandant.

Il entra tout souriant suivi des barmans qui poussaient deux chariots, champagne et des amuse-bouche. Il s'exprima lentement :

— C'est avec un peu de retard que nous avons appris la nomination de Monsieur Marchand au Prix Nobel de la Paix.

Sans attendre, les personnes présentes applaudirent longuement. Et le Commandant rajouta :

— Il est légitime que nous fêtions cet événement avec du Champagne français, d'autre part, le repas de ce soir sera cuisiné à la française : en entrée, des mini vol-au-vent au foie gras, un rôti de bœuf avec ses pommes dauphines, un plateau de fromages et une pièce montée de choux à la crème. Pour les vins, un Monbazillac avec le foie gras, un Saint-Émilion avec le rôti de bœuf ainsi que le fromage et nous continuerons avec du Champagne pour le dessert. D'autre part, si Monsieur Marchand me le permet, je me joindrai à vous pour fêter cette distinction.

L'intéressé prit la parole, ému :

— Je vous remercie Commandant, vous êtes le bienvenu à notre table. Vous connaissez ma discrétion, c'est pourquoi je ne souhaitais pas en parler, mais puisqu'il n'y a plus de secret…

Il ne put finir son discours, car tous le congratulèrent chaleureusement. Cela dura un moment.

Le Commandant reprit la parole :

— Comme la soirée sera mouvementée et festive, demain à Carthagène, après le déjeuner au restaurant Club de Pesca, vous aurez toute l'après- midi libre pour profiter de votre dernière escale.

Et on passa à table, il était déjà plus de vingt et une heures.

On avait réuni les tables, pour que tous puissent participer aux discussions. Le Commandant, assis en face de Monsieur Marchand, monopolisait la conversation. Comme on arrivait à la fin de la croisière, on le félicita pour l'accueil, le confort, les prestations du Sud América et les sorties commentées.

Monsieur Marchand avait à sa gauche Nathalie Magne, l'écrivaine française et à sa droite Magie Walter la journaliste du Times. C'est elle qui l'interpella en premier :

— Dès votre nomination, le journal m'a appelée pour me le signaler ; je ne suis pas intervenue, je respecte votre discrétion.

— Je vous en remercie.

Elle lui montra sur son smartphone la photo reçue du journal, il faisait la Une du Times.

— Je ne pensais pas travailler en vacances, permettez-moi cependant de faire un petit reportage ; je resterai « invisible ».

Il la regarda et répondit :

— Je ne pourrai pas maintenant éviter les médias, mais je compte sur votre réserve.

— Demain, je vous suivrai, vous ne vous en apercevrez pas.

Elle lui tendit la main pour accord.

Les conversations allaient bon train et le ton montait. Le vin aidant, il fallait parler plus fort pour se faire entendre. Au dessert, la Pièce Montée, représentant la tour Eiffel, fut accueillie sous une salve d'applaudissements.

Monsieur Marchand se leva, une coupe de Champagne à la main :

— À cette croisière réussie.

Tous les convives reprirent en cœur :

— À la croisière et au Prix Nobel.

On n'en resta pas là ; ils se retrouvèrent à la discothèque, dégustant un Armagnac millésimé pour les messieurs, et un à l'orange (plus doux) pour les dames. Il était trois heures du matin lorsqu'ils décidèrent de se séparer.

Dernier jour de la croisière, avec un peu de retard (et pour cause, la soirée avait été assez mouvementée) à dix heures tout le monde se retrouva sur le quai de Carthagène. Le climat tropical, n'était pas désagréable ce matin et ça promettait une belle journée. Carthagène était une ville fortifiée, caractérisée par des places et rues pavées, des bâtiments de style colonial colorés. On serpenta à travers la ville pour arriver au restaurant « Le Club de Pesca », situé sur la marina avec une vue magnifique sur la ville nouvelle. Très belle terrasse, ombragée par des voilures, une petite houle qui soufflait, apportait un complément de bien-être.

On leur apporta un festival de Mariscos (un plateau très copieux de crustacés) le vin blanc à volonté (insipide), une salade de fruits glacés et caramélisés servie dans une demi-noix de coco. Surprenant, mais agréable.

Puis le café, le café de Colombia.

À quinze heures, ils quittèrent la table et voyant le bus Hop On Hop Off qui venait d'arriver, ils décidèrent de faire un petit tour de ville commentée.

Quatorze arrêts : on pouvait descendre quand on voulait, c'était parfait pour terminer tranquillement la journée.

Le premier arrêt, Pastelillo, puis La Forteresse San Felipe, le musée Raphaël Nunez, Castillo Grande… au bout d'un moment, Monsieur Marchand dit à Henri : « j'ai envie de marcher, on descend ».

Ils descendirent du bus, suivi de Pétrovich, Tanaka, Brown, Mme Magne et bien sûr Miss Walter. Eux aussi avaient envie de marcher. Ils déambulèrent dans les rues commerçantes chacun à son rythme.

Au Marché Bazunto, on était agréablement surpris par les beaux étals de fruits et légumes. Devant une variété si importante, on s'arrêtait pour demander la provenance. Quelquefois, on leur faisait goûter des espèces inconnues.

C'était immense, on pouvait s'y perdre, au point que Monsieur Marchand se retrouva seul dans le secteur des épices où il y avait foule ; il s'enfonça dans une boutique car l'étalage était très coloré, varié, fourni, et certains aromates lui étaient inconnus. Il interrogea un vendeur.

Celui-ci ne lui répondit pas, mais, le prenant par le bras, l'entraîna à l'intérieur.

— Alors, Monsieur Marchand, vous avez réfléchi à notre proposition, votre réponse SVP !

Habillés comme les vendeurs, coiffés d'un sombrero, il ne les avait pas reconnus.

Il pensait que cette histoire était oubliée, mais les « Sicarios » ne plaisantaient plus. Ils le bousculèrent presque à le faire tomber.

— Alors, votre réponse, pensez à votre fille.

Il reprit ses esprits et leur rétorqua :

— Ma fille ne viendra pas à Bogota à la fin de la semaine, la rencontre avec le Président Méndes est reportée.

Les deux « Sicarios » se regardèrent surpris, manifestement pas au courant.

Et il rajouta ironiquement :

— Quoi qu'il en soit, ce contrat se fera et j'accompagnerai ma fille pour le finaliser. Maintenant, allez vous faire foutre. Lâchez-moi…

Henri, qui s'était attardé aux stands des agrumes, avait perdu de vue Monsieur Marchand, il le chercha des yeux ; il commença à avoir des doutes et se souvint de la conversation qu'il avait eue concernant la rencontre à Cozumel au Mexique.

Il accéléra le pas, partit à sa recherche et tomba sur Magie Walter qui tenait dans sa main une mini caméra.

— J'ai tout filmé depuis ce matin. Mais là, Monsieur Marchand à l'air de parlementer avec ces deux types, dommage que je ne puisse pas me rapprocher pour entendre leur discussion.

Henri comprit tout de suite, il se précipita, mais avec la foule, il eut des difficultés pour arriver à la boutique, les gens étaient si serrés, presque pour l'empêcher de passer…

L'un des siccarios enleva son sombrero, ce n'était pas la même personne qu'au Mexique, et dit d'un ton solennel :

— Je suis Rodrigo, le chef de la majorité des cartels et je vous demande, une dernière fois, de vous retirer de ce contrat.

— Il n'en est pas question, je…

Rodrigo sortit un couteau machette Gurkla et lui dit :

— Tant pis pour vous. Il lui enfonça la lame profondément dans le ventre.

Marchand s'effondra sur les genoux, la main sur le ventre, le sang coulait, coloriait rapidement sa chemise.

Henri voyait encore la tête de Monsieur Marchand, quand il fut bousculé par un homme moustachu de type mexicain qui décampa précipitamment.

Lorsqu'il arriva à la boutique, il trouva son patron assis par terre, une main pleine de sang, le regard absent…

— Monsieur, je suis là, tenez bon, j'appelle les secours.

Il cria en espagnol :

— Socorro, socorro, ayuden me, por favor, llamen la Policia, Ambulancia…

Magie Walter arriva, lâcha sa caméra, ébahie, sans voix, les yeux pleins de larmes. Pétrovich se précipita, s'agenouilla et fit un point de compression pour stopper l'hémorragie.

— Allez mon ami, tenez bon, on va vous sortir de là

Il se tourna vers Henri, fit la grimace : ça voulait tout dire.

Les secours arrivèrent rapidement, puis, transporté en l'ambulance, direction l'hôpital. Le responsable des ambulanciers demanda s'il était accompagné :

— Oui, son filleul est là ; moi aussi je viens avec vous ; je suis médecin ; il montra sa carte internationale ; on ne fit pas de difficulté.

Sur le chemin, Monsieur Marchand prit la main d'Henri et lui dit :

— Henri, je ne veux pas mourir ici, il faut me rapatrier en France, faites le nécessaire.

Henri hésita, il se sentait un peu coupable, il aurait dû être plus près de lui, il aurait pu intervenir... un coup de coude de Pétrovich le ramena à la réalité :

— Henri, faites ce qu'il vous dit, j'ai peur qu'ici le matériel nécessaire fasse défaut pour l'opérer.

Effectivement à l'hôpital, ce n'était pas la panacée ; l'hémorragie avait été stoppée, c'est tout. Il fallait attendre vingt-quatre heures.

Henri avait réussi à avoir Laetitia, lui avait expliqué ce qui s'était passé. Il ne fut pas difficile d'affréter un jet privé médicalisé, mais qui ne serait là que dans vingt-quatre heures.

Arrivée dans les délais, l'équipe médicale, tout de suite, se mit en action. L'intervention, qui dura quatre heures, s'était bien passée, le principal était fait, mais comme Monsieur Marchand avait perdu beaucoup de sang, toujours très faible, l'équipe était sceptique...

Le lendemain, l'état de santé étant stable, les médecins décidèrent, comme le patient l'avait demandé, le retour en France.

En fin de journée, ils arrivèrent à Charles De Gaulle, direction l'hôpital de la Pitié-Salpêtrière, où l'attendaient Claé son épouse et Laetitia sa fille.

Dans la chambre, dans l'attente d'une nouvelle intervention au bloc, il put parler à Claé. Elle lui annonça qu'elle avait eu des nouvelles de leur fils Bruno et mentit en disant que son programme était terminé et qu'il rentrait à Paris.

Une semaine après, on les avisa que les examens n'étaient pas bons, il s'affaiblissait de plus en plus. Il eut le temps de voir son fils, sa fille et son épouse réunis et il s'éteint en disant :

— On est bien chez nous, avec vous…

Les obsèques eurent lieu quelques jours plus tard. Beaucoup de monde, des personnalités nationales et internationales et bien sûr toute l'équipe qui avait participé à la croisière. C'était émouvant ; il fut enterré au Père-Lachaise.

Un mois plus tard, à Stockholm en présence du Roi de Suède, on remit les Prix Nobel. Le Nobel de la Paix fut attribué à Monsieur Marchand, à titre posthume.

Et c'est là que Magie Walter du Times s'approcha de Madame Marchand :

— Madame, votre mari m'avait donné l'exclusivité de sa nomination au Nobel, je ne l'ai pas éditée, je vous donne sa dernière journée que j'ai filmée.

Elle lui donna la mini cassette que Bruno récupéra sous le regard plein de tristesse d'Henri…

***

Quelques mois plus tard, au cinquante-quatrième étage de la tour Montparnasse, le regard de Laetitia, la fille de Mathieu Marchand, devant la baie vitrée, s'attardait sur la tour Eiffel, monument que le monde entier visitait, et que son père aimait tellement contempler par beau temps, lorsque la pollution n'envahissait pas la capitale.

En retournant à son bureau, elle s'arrêta sur divers portraits de son père. Le premier représentait toute l'équipe d'ECM (Expertise en communication Marchand), à la remise de « meilleure entreprise française en communication ».

La deuxième photo, familiale, son père, sa mère, son frère Bruno et elle, lors de la remise de son diplôme des beaux-arts. Son père était heureux, car elle était rentrée dans la société, et se débrouillait très bien. Au début, il espérait que son fils Bruno prenne la suite, mais il avait choisi une autre direction, l'aventure, la recherche de monuments anciens, l'archéologie. Le père avait été déçu, car Bruno s'absentait souvent ; c'est à son retour que l'on connaissait son lieu de recherche.

La 3ᵉ photo représentait son père à côté de son majordome Henri, qu'il appréciait fortement.

Dix-huit ans à son service, il avait gagné sa confiance, dévoué, toujours disponible au détriment de sa vie personnelle. C'est pourquoi son père lui avait demandé de l'accompagner dans cette croisière en remerciement de son travail. Cette croisière qui s'était terminée tragiquement. Elle lui en voulait un peu, sans ce moment d'inattention, son père serait peut-être encore vivant, c'est ce qu'elle ressentait. Henri comprit qu'un froid existait entre Laetitia et lui ; il demanda qu'on le libère de ses obligations. Le comité ne s'y opposa pas.

Enfin, la quatrième photo montrait la remise du prix Nobel, à titre posthume. Elle s'y attarda un moment, versa une larme, et se rendit compte du poids qui pesait sur elle maintenant.

Elle fut interrompue par une voix féminine :

— Madame, votre courrier.

Angéla, lui posa le courrier sur le bureau, lui rappela que la réunion avait été retardée d'une heure, pour cause, une grève des transports perturbait l'arrivée des participants.

Angéla, était une jeune fille diplômée de la Chambre de Commerce, droite dans ses petits souliers et vu sa tenue, ses petites lunettes, on l'imaginait sortir d'une école religieuse. Bien que pleine de bonne volonté, elle était loin de valoir Henri. Elle était jeune, elle apprendrait vite, elle allait s'y atteler.

Elle pensa à Henri, et se demanda, ce qu'il était devenu. Depuis son départ, il y a quelques mois, elle n'avait pas eu de nouvelles.

Elle prit le temps de lire son courrier, puisque la réunion était retardée.

Comme toujours, des banalités, des lettres de demande d'emploi, des lettres de remerciements, des invitations à des inaugurations… Une lettre l'interpella, blanche, non timbrée, mais avec un sceau qu'elle reconnut.

Elle hésita un moment, l'ouvrit et lut :

« Madame, je me rends en France, à titre personnel et je souhaiterais vous rencontrer.

Nous n'avons pas pu finaliser notre projet, à la suite de quelques problèmes avec l'opposition... et surtout de l'agression tragique de votre père. Je vous renouvelle encore une fois toute ma sympathie.

Mon secrétaire vous contactera pour connaître votre décision. »

Rien de plus, pas de date, une signature
Mendes, Président pour une
Colombie Libre et Démocrate

Elle resta, un moment pensive. Le projet, qu'elle avait réussi à monter, avait été annulé, enfin plutôt reporté. Il fallait retrouver les partenaires qui avaient parrainé ce programme. Cela ne serait pas bien difficile de les persuader de reprendre le dossier. Elle allait y réfléchir.

Angèle revint pour l'avertir que tous étaient là et que la réunion pouvait commencer. Elle se leva et se dirigea vers le grand salon. Elle les salua et les pria de s'asseoir ; la séance pouvait débuter.

**

Henri, le majordome de Monsieur Marchand, avait quitté l'entreprise, quelques jours après l'attribution du Prix Nobel à Monsieur Marchand. Il s'en voulait un peu, car au marché de Bazunto, il y avait tellement de monde ; s'il n'avait pas perdu de vue son patron, peut-être aurait-il pu éviter cette tragique agression (ou pas). Dans la bousculade, il avait été heurté par un homme, tout de blanc vêtu (mais tous les gens étaient habillés en blanc et portaient un sombrero). Il se rappelait que cet homme basané, avec une imposante moustache, lui rappelait Georges Brassens.

Arrivé trop tard et malgré tous les secours... on connaît la suite.

Sa démission ne posa aucun problème, personne ne s'y opposa. Alors, il décida de rejoindre la maison familiale. Ses parents âgés continuaient de travailler. Ils tenaient une épicerie dans le dixième où ils vivotaient ; son père qui faisait les marchés, avait eu un accident, ne pouvait plus se déplacer comme avant. Sa mère, seule, avait pris les choses en main et tant bien que mal, ils survivaient.

Lorsqu'Henri arriva, il fut accueilli à bras ouverts ; il allait reprendre les marchés. Mais après réflexion, il leur fit comprendre que les marchés n'étaient plus rentables et qu'il fallait procéder autrement.

Il réaménagea la camionnette de son père et quelques jours plus tard, se présenta devant l'épicerie de ses parents pour leur montrer le résultat. Une véritable cuisine ambulante. Il expliqua qu'à midi, il fabriquerait des pizzas, et l'après-midi des crêpes et des gâteaux dont sa mère avait le secret. Son père pourrait ainsi l'accompagner ; mais il refusa, car l'accident l'avait beaucoup handicapé, difficile de rester longtemps debout et préféra rester à l'épicerie, au grand bonheur de son épouse qui ne demandait que ça.

Affaire conclue, sa mère, un jour sur deux, l'aiderait.

Maintenant, il fallait trouver les points stratégiques et se placer aux endroits les plus passagers.

Voilà comment Henri, de Majordome se transforma en Pizzaïolo et vendeur de pâtisseries.

Ça ne lui déplaisait pas, il voyait du monde ; ses parents étaient heureux de retrouver leur fils, l'affaire tournait bien, les finances aussi...

Mais il pensait toujours à E C M, surtout qu'aujourd'hui, il était au quartier de la Défense, et qu'il pouvait apercevoir la tour Montparnasse.

**

Bruno, le frère de Laetitia, était revenu d'Égypte précipitamment (il faisait partie de l'équipe de l'Américaine Angéla Micol qui avait découvert, par image satellite, deux nouveaux sites).

Il avait appris par la presse, le Progrès égyptien, un des rares journaux publiés en langue française, la tragédie de son père. De suite, il était revenu à Paris, une bonne initiative, car quelques jours plus tard, son père put, avant de mourir, les voir tous les trois, une dernière fois.

Il assista à la remise du Prix Nobel, et le lendemain, il repartit pour une « retraite », c'est ce qu'il dit à sa mère Claé avant de s'éloigner. Elle avait essayé en vain de le retenir, mais décidé :

— Maman, je pars... j'ai besoin de réfléchir... Je reviendrai ; il embrassa sa mère et sa sœur en lui disant :

— Prends soin de Maman, et poursuis l'œuvre de Papa.

Pendant ses divers séjours d'archéologie, il avait connu Honey, une fille du Hyammar avec qui il avait sympathisé et plus encore, puisqu'un jour, fatigué de ces longues journées, elle lui avait proposé un massage relaxant... Et ce qui devait arriver... arriva... une relation s'installa. Il aimait bien sa douceur, son calme, ses massages qui lui apportaient un bien être. Elle lui avait parlé de son pays, le Myammar (anciennement la Birmanie) Pays mystérieux, dangereux aussi, mais si on respectait les règles et bien accompagné, on ne risquait rien. Elle lui avait promis de l'emmener un jour.

Lorsqu'il était parti brusquement d'Égypte, elle lui avait dit qu'elle rentrait chez elle, qu'elle l'attendrait. Il savait où la trouver.

Il débarqua à Yangon (anciennement Rangoun), où il la rejoignit au pôle des visites guidées, qu'elle effectuait surtout pour des touristes français ; elle parlait couramment le français et l'anglais et d'autres dialectes.

Depuis un an, ils vivaient ensemble en banlieue, plus calme, il l'accompagnait souvent, ce qui lui permettait d'approfondir ses connaissances sur ce pays si mystérieux. Rien à voir avec sa culture occidentale ; ici, on trouvait un peuple d'une grande diversité ethnique, chaleureux, pétri de traditions et de bienveillance.

Cette nuit-là, sous l'effet de la mousson, il s'était réveillé en sursaut, en sueur ; il se leva, laissant Honey encore endormie sous la moustiquaire.

Il s'installa sous la véranda, il faisait chaud malgré la pluie qui ruisselait, une atmosphère lourde et humide qui collait à la peau. Il se servit un laphat (thé mariné). Il avait mal dormi, un cauchemar, il revoyait son père à l'hôpital... ses derniers instants... La cérémonie à Stockholm... Puis, il se rappela qu'une femme, une journaliste anglaise lui avait donné une mini cassette qu'il n'avait pas visionnée. Il mit du temps à la trouver... Dans le porte-documents, elle devait y être encore. Effectivement, il la trouva au fond de la poche centrale et décida de la visionner.

Le film commençait par la pièce montée (représentant la tour Eiffel), les applaudissements et les coupes de champagne que les convives levaient en criant :

— À la croisière, au Prix Nobel.

On les voyait ensuite débarquer sur le quai (il n'eut pas de mal à reconnaître cette ville fortifiée avec ses rues pavées et bâtiments de style colonial, Carthagène). Puis, le restaurant, le Club de Pesca, avec une belle vue sur la marina.

Il y eut une bousculade lorsque le bus touristique arriva ; le groupe s'y précipita. À l'intérieur, il entendit son père dire à Henri :

— J'ai envie de marcher, on descend.

Il y avait beaucoup de monde, un espace plein de vie. Ils déambulèrent un moment dans cette foule, puis plus de Monsieur Marchand. On voyait Henri le chercher et parler avec la journaliste Anglaise.

La foule empêchait d'avoir une image bien précise et ça se bousculait. Ils arrivèrent enfin devant la boutique, son père allongé au sol, ensanglanté et Henri appelant les secours... puis... arrêt de la vidéo.

Il la repassa plusieurs fois, comprit, en voyant Henri si près de son père, que c'est lui qui aurait dû être là, et d'un bond il se leva, renversant la table, ce qui réveilla Honey, et lui dit :

— Je rentre à Paris.

***

À Paris, Laeticia, devant le conseil écoutait les propositions qu'on lui soumettait. Puis elle intervint :

— Mesdames, Messieurs, j'ai reçu un courrier du Président Mendes de Colombie qui souhaite me rencontrer.

Il y eut un silence, puis Martin, le spécialiste des affaires sud-américaines répondit :

— Ce dossier a été écarté momentanément, dû à quelques problèmes dans le pays, et aussi par le décès de votre père…

— Je n'ai rien de précis sur sa venue ni sur le motif de sa visite, nous aviserons lorsque son secrétaire prendra contact. En attendant, Martin, ressortez le dossier pour ne pas être pris de court.

La séance continua sur divers sujets, on fit la pause matinale. Contrairement à son père qui aimait son bureau pour faire un break et siroter sa boisson préférée que lui préparait Henri, elle, elle préférait descendre sur l'esplanade et flâner. Elle aimait s'asseoir sur les marches de la grande arche.

L'heure du déjeuner approchait, elle hésitait entre un restaurant, sur le parcours, ou déjeuner sur le pouce, en plein air, dans l'un des Food Trucks, près des marches de la grande arche.

***

Bruno avait réussi à avoir un vol, et était arrivé de bonne heure à Charles de Gaulle. Pas de bagages, seulement un sac à dos ; il sortit rapidement de l'aéroport et se rendit compte qu'il n'était pas couleur locale, il était à Paris. Il acheta un pantalon en toile et une chemise et se dirigea vers des sanitaires. Barbu et ébouriffé, il fit une rapide toilette, c'était mieux ainsi ; il se changea et déposa ses vêtements dans une poubelle sous le regard d'un clochard qui s'empressa de les récupérer.

Il était dix heures et chercha un moyen de locomotion. Il y avait la queue pour les bus, la station de métro bien trop loin, il choisit un taxi qui l'interpellait :

— Monsieur, taxi pas cher et je vous fais la visite de Paris.

Il me prend pour un touriste ! Il monta et hésita un moment à lui donner une destination. Sachant qu'il avait peu de chance de trouver sa mère à la maison, à cette heure-là. Il indiqua au chauffeur, place de la Défense !

— Un arrêt bien précis, Monsieur !

— Près de la grande arche.

Une heure après, il y était. Il déambulait au milieu de cette foule ; il avait faim, chercha où manger rapidement. Les restaurants étaient pleins à craquer, il choisit un food truck qui faisait des pizzas. Il y avait bien longtemps qu'il n'en avait pas mangé. Il s'approcha et une femme l'interpella :

— Une pizza, Monsieur !

Beaucoup de choix : entre la margarita, les trois fromages, la basquaise, la végétarienne et la surprise de la maison. Il choisit cette dernière sur le conseil du pizzaïolo qui se retourna… et resta figé un instant. Malgré sa tenue, mal rasé et les cheveux ébouriffés, il le reconnut Bruno.

Bruno, le frère de Laetitia. Lui aussi reconnut Henri ; ils restèrent quelques secondes à se regarder, Henri parla le premier :

— Je prépare deux pizzas et je fais une pause Maman.

Sa mère pouvait s'occuper de la vente, sachant qu'il avait fait une réserve de pâtes, il fallait seulement les garnir à la demande.

Ils s'installèrent un peu à l'écart, sur une des tables libres. Bruno lui demanda pourquoi il n'était plus à E C M. Brièvement, Henri lui expliqua. Bruno ne lui en voulait pas, sachant combien il avait donné pour son père

Bruno lui raconte que depuis quelques nuits, il faisait des cauchemars sur son père, et qu'il venait de visionner plusieurs fois la cassette donnée par la journaliste anglaise. Et il en avait conclu que cette agression ne pouvait pas rester impunie.

— C'est pourquoi je suis revenu pour vous en parler, mais je ne savais pas que vous n'étiez plus chez ECM. Je souhaitais vous montrer cette vidéo.

***

Laetitia s'avança vers les Trucks, et tout particulièrement vers celui qui faisait des pizzas, il y avait la queue et elle entendit une voix qui cria :

— Henri, viens m'aider, je suis débordée.

Et elle vit arriver, un homme barbu, une chevelure en bataille, elle ne le reconnut pas immédiatement, mais c'était bien lui, Henri, le majordome de son père.

En passant à côté d'elle, il lui dit :

— Allez vous asseoir, votre frère vous attend, je vous prépare une pizza.

Surprise, elle retrouva son frère et ils restèrent un moment à parler, en attendant Henri, qui se démenait avec sa mère à servir cette clientèle impatiente. Enfin, il put les rejoindre, en leur amenant les cafés accompagnés de gâteaux secs que sa mère avait fabriqués, un vrai délice. C'est Laetitia qui prit la parole :

— Bruno m'a tout raconté : on se retrouve en fin de journée dans mon bureau pour visionner la cassette, puis on avisera.

Henri la regarda ; contrairement à son père, elle était directe, elle avait pris les rênes de la société avec autorité. Mais il était heureux de revenir, là où il avait passé tant de temps.

***

Vers dix-huit heures, il était devant la tour et retrouva Bruno dans le hall. Complètement changés tous les deux. Rasés de frais et vêtus élégamment, rien à voir avec ce matin, deux gentlemen en quête d'aventure. Ils sourirent et se dirigèrent vers l'ascenseur pour monter au cinquante-quatrième étage.

Un vigile les interpella en leur demandant ce qu'ils faisaient là. Après quelques explications et vérifications d'usage, ils prirent l'ascenseur avec lui.

Laetitia les attendait et remercia le vigile de sa bonne initiative. Agréablement surprise par leur tenue, elle les introduisit par la grande salle de réunion vide, vers son bureau. Henri suivait, connaissant les lieux ; en arrivant dans le bureau, il eut un mouvement de recul, tant de souvenirs… avec Monsieur Marchand.

Il entra enfin, et put voir que rien n'avait changé, excepté quelques portraits supplémentaires. Ému de voir une photo de Monsieur Marchand en conversation avec lui… photo prise par Laetitia elle-même, à l'improviste.

— C'est le jour où vous avez réservé au restaurant Bouillon Chartier, pour mes parents, rajouta-t-elle.

Maintenant, il se souvenait : Monsieur Marchand lui avait demandé de lui concocter… une soirée inoubliable pour le lendemain. Hélas la dernière, avec Madame.

Ils s'assirent au petit salon jouxtant le bureau et elle leur parla de la lettre du Président Mendes.

Depuis la table basse, on projeta la cassette sur le mur. Les images défilaient dans un grand silence. Au bout du troisième passage, on fit un arrêt sur image ; un homme qui revenait sur ses pas, un homme pressé. On zooma : avec sa main droite, il se frayait un chemin rapidement. On fit un gros plan sur cette main, une main bizarrement colorée… du sang.

Ils se regardèrent, cette personne avait participé à l'agression.

— Oui, cette personne m'a bousculé, presque à me faire tomber, il avait la tête de Georges Brassens, dit Henri.

On continua le déroulement, mais rien d'autre. Donc, on fit une copie du personnage. Et Laetitia précisa :

— Mendes doit me contacter ; je lui montrerai le portrait et peut-être, m'informera-t-il sur cet homme. Donc, j'attends son appel.

Bruno, j'ai averti Maman, on mange à la maison (il était plus de vingt heures), bien sûr Henri, vous êtes des nôtres.

La soirée fut conviviale ; Madame Claé Marchand était heureuse de retrouver ses deux enfants et Henri, qu'elle connaissait bien et très apprécié de son mari.

On n'avait pas parlé de ce qui les amenait, c'était mieux pour leur mère ; qu'elle ne connaisse pas leur intention (retrouver le meurtrier de leur père). Maintenant, on était dans l'attente de l'appel de Mendes.

Un mois passé sans le moindre coup de fil de Mendes ; Laetitia doutait de la véracité de cette lettre reçue.

Bruno et Henri se voyaient souvent et déjeunaient ensemble.

Un jour, Bruno dit à Henri (maintenant, ils se tutoyaient) :
— Henri, est-ce que tu veux m'accompagner ?
— Pour aller où ?
— En Colombie ; Mendes ne s'est toujours pas manifesté...
et je crois qu'il a d'autres problèmes politiques à traiter, alors...
— Et comment tu veux y aller ?
— Il y a une équipe de chercheurs qui se rend en Colombie
concernant la découverte d'un nouveau site, dans un endroit
secret. J'ai postulé et j'ai été pris. J'ai besoin d'un assistant, et
j'ai pensé que tu pourrais te joindre à moi.
— Mais je ne suis pas qualifié pour ce genre de travail.
— Pas besoin, ce n'est qu'une couverture et ça nous
permettra de poursuivre nos recherches.
— Et ta sœur, est-ce que tu lui dis ?
— On ne lui en parle pas, on la laisse avec son Mendes.
— Bien, et on part quand !
— Bientôt, dès que je reçois les documents, d'ici quelques
jours. OK Henri ?
— D'accord, j'ai le temps de régler la situation avec mes
parents.

Ils se quittèrent, attendant le jour du départ.

***

Laetitia avait bien fait passer le message au comité. Toute
l'équipe s'était consacrée à ce dossier. Tous les financiers
avaient été contactés et la majorité avait répondu favorablement.

Il ne manquait que l'appel du secrétaire. Plus d'un mois et toujours pas de réponse.

Enfin, un matin, un coup de fil, au départ anonyme, puis…

— Bonjour Madame, je suis Llorca, le secrétaire du Président Mendes, il souhaiterait vous rencontrer ce soir, discrètement dans sa résidence.

— Pourquoi pas ici, dans mes bureaux.

— Non, il souhaite une complète discrétion, pas de publicité, pas de journaliste, pas de presse.

— Monsieur Llorca, il sera difficile d'être discret.

— Madame, dix-huit heures, résidence Voltaire… et vous venez seule.

— Ce ne sera pas possible ; pour ce dossier, je serai accompagné par Monsieur Martin, responsable des affaires étrangères…

Il y eut un silence, elle entendit quelques murmures au téléphone, puis…

— Bien, vous venez avec Monsieur Martin… et on raccrocha.

Elle resta un moment indécise, hésitante, pourquoi tant de secret. Elle ne connaissait pas cette résidence. Elle avait bien fait de proposer Martin pour l'accompagner.

À la pause de la réunion, elle prit Martin à part et lui expliqua la situation. Lui non plus ne connaissait pas cette résidence et s'empressa de vérifier son existence. Effectivement, elle était privée et les hauts murs extérieurs ne permettaient pas bien de la localiser. Une résidence bien sécurisée, seul le n° 40 nous faisait savoir qu'on était à la résidence Voltaire.

Ils restèrent un moment dubitatifs, puis :

— C'est le Président Mendes qui nous invite, je comprends qu'il prenne autant de précautions, on y va et on avisera sur place.

— Madame, mon frère est commissaire de police dans le quartier, je vais le contacter et lui demander s'il connaît cette résidence.

— Bien, mais avec prudence, nous avons un gros marché et il serait dommage de le perdre pour nos investisseurs.

À la fin de la réunion, Martin appela son frère qui lui confirma qu'il connaissait cette résidence, un ancien musée abandonné, racheté par un groupement étranger ; il était intervenu quelquefois pour des manifestations un peu bruyantes, sinon rien de plus.

Laetitia demanda à Martin de revoir le dossier, de vérifier toutes les clauses administratives et financières.

Il était midi, elle descendit, comme d'habitude, sur la place pour réfléchir, car elle était dans l'incertitude.

Elle vit le Food Truck et se dit :

— Pourquoi pas une pizza.

Elle s'avança et fut surprise de voir son frère faire le service, elle s'assit à une table et :

— Madame désire la pizza de la maison !

— Que fais-tu ici, tu ne devais pas partir ?

— Comme tu vois, j'aide Henri et on part plus tard.

— Comment on…

— On a décidé, Henri et moi de prendre quelques jours de vacances. Mais tu as l'air crispée, quelque chose ne va pas, sœurette.

Elle ne répondit pas, évasive, elle pensait encore à ce rendez-vous et était contrariée. La connaissant Bruno insista :

— Raconte, allez, raconte.

Elle lui révéla ce qui la tracassait : le coup de fil et le rendez-vous à la résidence Voltaire, si mystérieuse. On lui demandait d'y aller seule, mais elle avait réussi à faire accepter la présence de Martin. Elle irait, mais elle avait une appréhension.

Bruno l'écoutait et finit par dire : je reviens, j'apporte ta pizza. Il rejoint Henri.

— Alors, ta sœur apprécie ma pizza !

— Henri, je crois qu'on a un problème. Changement de programme pour ce soir. Il lui expliqua la situation.

— Mais comment veux-tu rentrer dans cette villa, super sécurisée ?

— Je connais cette villa. C'était un musée où j'ai exposé, il y a bien longtemps, les trésors découverts à Saqqarah. À l'arrière du bâtiment se trouve une porte codée qui est rarement utilisée. Le code n'a peut-être pas été changé ?

— De la folie Bruno.

— Non, une visite touristique. Discrètement, on s'y engage, on zieute, on écoute, puis on repart, ni vu ni connu…

— Tu divagues ; tiens, emmène la pizza à ta sœur.

Il rejoignit sa sœur toujours pensive, posa la pizza et un verre de rosé et s'assit à côté d'elle en lui disant :

— Allez, profite.

Il lui coupa la pizza en quatre et s'en servit un quart à la surprise de sa sœur. Elle prit une part et Bruno, pour la distraire lui parla de son dernier séjour. Puis, elle se leva, l'embrassa et repartit à son bureau.

Il la regarda s'éloigner et fut satisfait de la décision qu'il avait prise. Il irait à la villa Voltaire, incognito, avec ou sans Henri.

Mais Henri n'était pas un homme à en rester là, il l'accompagnerait dans cette périlleuse entreprise.

À dix-huit heures, Bruno et Henri étaient devant la villa, en retrait, à l'abri des regards. Un taxi arriva, déposa Laetitia et Martin, qui sonnèrent à l'entrée ; le portillon s'ouvrit instantanément, se referma derrière eux. Ils allaient partir, lorsqu'une deuxième voiture noire s'arrêta devant la porte. Deux hommes en sortirent et se dirigèrent vers le digicode. L'un deux se retourna par sécurité et, malgré le panama et les lunettes noires, Bruno et Henri le reconnurent, l'homme de la vidéo, basané et épaisses moustaches.

Son intuition était bonne, maintenant il fallait agir, Laetitia était en danger.

— Viens, on va entrer par l'arrière.

— On devrait appeler la police, murmura Henri.

— Le temps qu'elle arrive, ce sera peut-être trop tard, allez on y va. Entre les deux villas se trouvait un étroit passage, caché par une glycine qu'ils écartèrent et virent au fond, une porte métallique avec un digicode. Rien n'a changé ; il fit le code en espérant qu'il soit encore bon.

— Mince, ça ne marche pas. Il réfléchit et essaya de nouveau, toujours pas.

Pendant cette deuxième manœuvre, ils ne s'aperçurent pas qu'un homme les menaçait, une arme à la main.

— Alors Messieurs, on fait dans la cambriole. Levez les mains ! Il montra sa carte de police « Commissaire Martin, je vous arrête pour tentative… »

Henri réagit tout de suite :

— Vous êtes le frère de Monsieur Martin qui travaille chez ECM… et il lui expliqua pourquoi ils étaient là.

Le commissaire écouta et décida qu'il était suicidaire d'agir seuls et qu'il fallait appeler des renforts. Il prit son téléphone et appela.

Pendant ce temps, Bruno déçu était sûr de son code ; il se rappela que, quelquefois, les chiffres étaient inversés ; il tenta, la porte s'ouvrit et entra au grand désarroi du commissaire qui écourta son appel après avoir précisé :

— « Vous n'intervenez pas, vous restez discrètement devant la villa et vous attendez mes ordres ».

Il se rapprocha de Bruno, en lui demandant de rester à l'arrière. Il récupéra une deuxième arme qu'il avait à sa cheville et la remit à Henri en lui murmurant :

— Vous savez vous en servir ?

— Je pense…

— C'est un six coups, alors tirez à coup sûr, si besoin.

Ils avancèrent dans le couloir qui les amena dans une grande pièce, le garage, où se trouvaient trois imposantes voitures. En face, un escalier d'une dizaine de marches montait à l'étage. Bruno fit signe qu'il fallait éviter de le prendre, il y avait une autre possibilité. Effectivement, ils firent le tour et une autre entrée s'offrait à eux. Ils montèrent les quelques marches et poussèrent le battant qui donnait sur une grande salle, la salle qui servait de réserve, lorsque le musée était ouvert. Ils se faufilèrent parmi les rares meubles qui restaient et devant la grande porte légèrement entrouverte, entendirent des voix.

***

Entrés, Laetitia et Martin suivirent un homme qui les accompagna dans une salle bien meublée avec des tableaux de maîtres. Au fond, deux hommes les attendaient ; l'un les interpella :

— Avancez-vous, s'il vous plaît.

Assis derrière un bureau imposant, la lumière tamisée empêchait de voir son visage. C'est à ce moment que deux autres personnes entrèrent précipitamment dans la salle en s'écriant :

— Allez Président, venons-en au fait.

— Madame, je…

L'homme qui était intervenu enleva son panama, retira ses lunettes noires, teint basané, moustaches épaisses, elle le reconnut et sentit à ce moment, qu'elle et Martin, étaient dans une fâcheuse situation.

C'est le Président qui s'exprima :

— Madame, je suis désolé, ils détiennent ma famille en otage, je vous demande d'accepter leurs conditions, sinon ils…

L'homme basané reprit la parole :

— Madame, nous exigeons que vous viriez la somme indiquée, sur ce compte aux Isles Caïmans.

— Je ne peux transférer pareille somme sans l'accord de mes partenaires et ça va prendre du temps.

— Madame, si vous le voulez, vous pouvez le faire. Sinon, je tire une balle dans la tête du Président. D'autre part, votre mère pourrait aussi…

Elle était abasourdie ; se devait être un contrat avantageux, et elle se retrouvait dans une situation effrayante. Elle regarda le Président désabusé, et se dit, après tout c'est son problème, leurs affaires internes, ça ne me regarde pas… mais une menace contre sa mère… il fallait gagner du temps.

— Bon, je rentre et j'exécute vos ordres, mais qui me dit que vous…

— Vous n'avez pas le choix, le Président rentrera avec nous, c'est notre garantie… (un silence) puis il reprit :

— Vous, vous restez avec nous, votre adjoint se rendra seul pour exécuter l'ordre de transfert. Vous avez jusqu'à demain dix-huit heures pour confirmer l'opération. Passée cette heure, j'exécute le Président… ou Madame.

On libéra Martin qui sortit de la villa, il était plus de neuf heures du soir.

L'homme basané s'approcha de Laetitia et lui dit :

— C'est bien compris, pas d'embrouille ; j'ai assassiné votre père, je peux éliminer son épouse et sa fille aussi.

***

Entre-temps, le Commissaire qui avait suivi toute la conversation se mit en peu en retrait et appela son équipe.

— Mon frère va sortir, vous l'interceptez et l'accompagnez jusqu'au siège de E C M. D'autre part, vous envoyez une équipe au domicile de Madame Clać Marchand (il leur expliqua brièvement ce qu'il en était) et vous agissez discrètement.

Profitant que le Commissaire s'est écarté, Bruno s'empara du pistolet d'Henri, et ayant entendu les confessions du Colombien, entra, se précipita sur lui en lui plaçant le canon de son pistolet sur la nuque.

— Alors, tu as assassiné mon père, je vais te tuer, et appuya sur la détente.

Un clic, le cran d'arrêt n'avez pas été levé, ce qui permit au Colombien de s'emparer de son couteau gurkla et l'enfonça dans le ventre de Bruno. Il n'eut pas le temps de lui asséner un deuxième coup, qu'un coup de feu lui fit lâcher son arme, il tomba à genou.

Henri se précipita, récupéra le pistolet, arma et tira sur le Colombien qui essayait de ramasser son couteau pour se jeter sur le Président.

— La première balle pour venger Monsieur Marchand. Il tira une deuxième fois, et celle-ci pour Bruno, salopard.

Le commissaire cria :

— Police, que personne ne bouge, vous êtes encerclés (enfin, il espérait que ses hommes ne soient pas loin)

En alerte, les policiers, au premier coup de feu s'étaient précipités et entraient dans la salle pour appréhender les sicarios.

Laetitia se jeta sur son frère qui saignait beaucoup ; ça ne paraissait pas trop grave.

Henri prit son téléphone pour appeler les secours, le commissaire l'arrêta :

— C'est superficiel, on le soignera un peu plus tard. Il lui fit un clin d'œil, heureusement que vous savez vous servir d'un pistolet.

Son téléphone sonna, un policier lui indiquait que la Villa de Madame Marchand était sécurisée et qu'on avait appréhendé deux Sud-Américains suspects.

Dans la rixe, on avait oublié le Président. Le commissaire Martin s'approcha, l'homme tremblait, en sueur, il n'arrivait pas à parler correctement.

— Enfin, Monsieur le Président, calmez-vous, c'est terminé.

À la surprise générale, il répondit :

— Je ne suis pas le Président, je suis son sosie. Je fais des prestations pour gagner ma vie. J'ai été contacté par cet homme qui m'a proposé de jouer ce rôle pour un film. Il m'a forcé à le faire et c'était bien payé, alors j'ai accepté, mais je ne connaissais pas la finalité de…

Il continuait de parler et au bout d'un moment le commissaire dit :

— Emmenez-le, on verra plus tard ce qu'on en fait.

Au poste, le commissaire dans son bureau réfléchissait. Cette mission s'était parfaitement déroulée, rapide, pas de victime dans l'équipe, seul le fils Marchand touché sans gravité, une belle cicatrice en souvenir. Mais tout de même, un mort et quatre arrestations. On avait éliminé un des chefs des cartels de Colombie et arrêté des lieutenants de la pègre, ce n'était pas rien. Mais comment sortir de cette situation discrètement.

C'est son frère qui lui donna la solution, on allait appeler le vrai Président et lui remettre le « Bébé » sur les bras.

E C M parlementa avec le Président Mendes, qui en échange de reprendre le dossier des plantations de café, s'engagea à rapatrier le corps de Rodrigo et se charger des autres participants.

En quarante-huit heures, tout fut réglé. On considéra qu'il s'agissait d'un règlement de compte et d'un exercice de routine pour la brigade.

E C M continua dans ses expertises, Laetitia et Martin s'envolèrent vers Bogota pour conclure le contrat avec la Colombie.

***

Bruno, après quelques jours de convalescence, repartit au Hyammar (Ancienne Birmanie) rejoindre Honey à Yangon.

100

C'est Henri qui l'amena à l'aéroport Charles de Gaulle, des adieux brefs en lui proposant de venir le voir. Il promit qu'il le ferait.

Mais pour le moment, il devait aider ses parents. Il avait refusé la proposition de Laetitia de revenir à l'agence. Il avait été trop marqué par tous ces événements et puis il aimait ses parents, il ne pouvait pas les laisser tomber, alors que l'épicerie prospérait.

Ainsi chacun reprenait la place qu'il lui revenait, et c'était mieux ainsi.

***

Imprimé en Allemagne
Achevé d'imprimer en décembre 2022
Dépôt légal : décembre 2022

Pour

Le Lys Bleu Éditions
40, rue du Louvre
75001 Paris